Guide Pédagogique

le français en chantant

Jean-Christophe Delbende
Instituteur
Professeur de Français Langue Étrangère
Formateur au Centre de Linguistique Appliquée de Besançon

Vincent Heuzé
Instituteur
Professeur de musique
Formateur au Centre de Linguistique Appliquée de Besançon

Didier

La réalisation du "Français en chantant" a été rendue possible grâce à l'aide précieuse et efficace de Michel "Jason" Richard, auteur des arrangements.

Nous tenons à remercier vivement les enfants de l'école de musique d'Arguel-Pugey pour leur colla-Marie-Paule-Beaud, Frédéric Maisier et Marie Grillet pour leur participation musicale.

Nos remerciements s'adressent également à David Marcuz pour ses conseils avisés lors des enregistrements et à Jean-Pierre Calame pour le prêt des guitares.

Maquette de couverture : Contours
Gravure de musique : Dominique Montel
Dessins : Jean-Louis Goussé

Sur la cassette :

Interprètes : Vincent Heuzé
Marie-Paule Beaud

Chœurs : Les enfants de l'école de musique d'Arguel-Pugey

Percussions : Frédéric Maisier

Guitares : M. "Jason" Richard

Musique : Vincent Heuzé

Musique assistée par ordinateur : David Marcuz

A. Présentation générale

Le "Français en chantant" est un matériel d'enseignement et d'apprentissage du français élaboré sur le principe suivant :

chanter et jouer pour acquérir la langue.

Cet ouvrage est composé d'un corpus de chansons originales à partir desquelles des activités ludiques d'apprentissage de la langue sur le mode oral ont été créées.

Il a été conçu par des formateurs du Centre de Linguistique Appliquée de Besançon, enseignant en écoles maternelle et élémentaire en France et à l'étranger.

I. Le public visé

Ce matériel pédagogique, par sa variété musicale, thématique et linguistique, peut prendre place dans des contextes d'apprentissage très différents :

- à l'étranger, dans les écoles élémentaires (enseignement précoce du français) et dans les collèges (initiation au français ou perfectionnement).

- en France, dans les classes d'initiation accueillant les enfants non francophones, dans les écoles maternelles (activités de langage et éducation musicale), dans les écoles élémentaires (élargissement du répertoire vocal).

II. Description du matériel

"Le français en chantant" se compose d'un guide pédagogique à l'intention des professeurs, d'une cassette de chansons, comptines et documents sonores et d'un cahier d'activités.

a. La cassette

Les 10 chansons :
- La ballade des chiffres
- Les courses
- Un drôle de restaurant
- Le clown
- Je t'aime bien
- En voiture
- Le zoo
- Le fantôme
- La fête de Saint-Martin
- Les voyelles

sont présentées de la façon suivante :

1) Version originale
2) Découpage de la chanson pour l'apprentissage
3) Version instrumentale intégrale
4) Activités d'écoute (pour certaines chansons) : comptines ou autres documents sonores.

b. Le guide pédagogique

Il contient :
- une présentation générale de l'ensemble pédagogique
- la présentation détaillée d'une unité-chanson
- les règles de jeux
- les 10 unités.

c. Le cahier d'activités

Il contient :
- le texte des chansons et des comptines
- des supports pour la réalisation de certaines activités présentées dans le guide pédagogique.

III. Les chansons

Reproduire un son, vocal ou instrumental, un mot, une phrase, suppose tout d'abord de l'avoir entendu, reconnu, mémorisé. Dès lors, l'acte de chanter participe au développement de la discrimination auditive et du sens du rythme et donc au **développement de l'activité langagière.**

Chanter est aussi un processus déclencheur d'émotions qui :

- développe la socialisation (chanter ensemble),
- fait appel aux sens (entendre résonner des sons nouveaux en langue française),
- engendre des plaisirs physiques (reproduire ces sons, vivre le rythme),
- développe le sens esthétique (par l'expression des émotions et des sentiments).

a. Les paroles et la musique

Dans "Le français en chantant", les chansons visent un double objectif :

- **motiver l'enfant par la musique, les idées et les thèmes abordés :** la variété des rythmes, de l'instrumentation (guitare, contrebasse, percussions), des voix (masculines, féminines, adultes, enfants), des idées et des thèmes (les relations garçons/filles, le cirque, le schéma corporel, la famille, l'humour, les animaux, etc.) a pour but de susciter l'intérêt des élèves.

- **répondre aux contraintes de l'enseignement du français :** les paroles des chansons tiennent compte de la fréquence d'emploi du lexique utilisé et contiennent volontairement de nombreuses répétitions. L'accompagnement, le rythme et la mélodie ne constituent pas des obstacles à la compréhension ni à la prononciation. Les phrasés ne sont ni trop longs ni trop courts et facilitent donc la mémorisation et la maîtrise des enchaînements.

Néanmoins, la chanson reste un lieu de conflit entre l'ordre linguistique et l'ordre musical. Ainsi reste posé le problème du [ə], facultatif ou non. Prononcé, il donne plus de "douceur", plus de "couleur" à une chaîne parlée ou musicale, mais alors, il ne correspond pas toujours à la pratique courante du français oral. Par exemple, on prononce à l'oral "j'ai ach'té", mais dans la chanson "À la fête de Saint-Martin", on chante "j'ai achEté".

b. Les gestes

L'acte de chanter implique **la participation du corps tout entier** (frappés, balancements, claquements de doigts, danse, etc.). D'autre part, **le geste tient un rôle essentiel dans l'apprentissage de la langue :**

- Il aide à la socialisation. Un enfant qui n'ose ni parler ni chanter peut plus facilement s'intégrer au groupe grâce au geste.

- Il facilite la **compréhension.** Il permet de visualiser certains éléments langagiers. (*Exemple :* dans "Le clown", "Avec mon gros nez tout rond" → mouvement circulaire de l'index autour du nez.)

- Il aide à acquérir le **sens rythmique.**

- Associé à un élément linguistique, il favorise la **mémorisation.**

- Il est partie intégrante de la **communication et de la culture.** Certains gestes obéissent à un code connu de tout locuteur français (*Exemple :* le poing fermé, pouce levé signifie : "c'est très bien" dans "La fête de Saint-Martin").

Tenant compte de ces remarques, chaque chanson a été écrite **pour être accompagnée de gestes** (voir tableau pour chaque unité). Le professeur doit donc adapter les propositions gestuelles à la culture de ses élèves afin d'éviter certaines ambiguïtés (un même geste ayant des significations différentes selon les pays).

IV. Les activités

Elles s'adressent aussi bien à des débutants qu'à des élèves ayant déjà une certaine connaissance du français. En effet, à partir d'une chanson, le professeur peut choisir des activités et les conduire telles que nous le suggérons, ou les adapter à ses objectifs d'enseignement et au niveau de sa classe.

a. Principes méthodologiques

Visant un public d'enfants, l'accent a été mis sur la motivation dans le cadre d'activités ludiques ce qui engage l'enfant dans un processus de communication et donc d'acquisition de la langue.

Jeux liés à   →   Communication   →   Acquisition de la langue
la motivation

Les jeux proposés permettent l'acquisition et le réinvestissement de structures langagières présentes dans et autour de la chanson parce que :

- "le jeu est la seule activité que l'enfant prend au sérieux",
- l'apprentissage de la langue sur le mode ludique est générateur de plaisir et favorise la réussite de l'apprenant.

b. Le jeu

Les jeux permettent :

- **l'acquisition de nouveaux éléments langagiers.** *Exemple :* le jeu du chef d'orchestre permet de travailler la structure "C'est lui, c'est elle" (cf. activité 9, "À la fête de Saint-Martin").

- **le réemploi,** donc la consolidation des acquis. *Exemple :* le jeu de reconstitution du clown (jeu de dé) oblige l'enfant à réutiliser le lexique des vêtements (cf. activité 6, "Le clown").

- **la synthèse et l'emploi simultanés** de plusieurs lexiques et structures. *Exemple :* le jeu des familles (cf. activité 6, "Un drôle de restaurant").

c. La langue

Les chansons et les activités permettent une acquisition du lexique et des structures dans une **approche communicative.** La langue utilisée répond aux nécessités de dialogue enfant/enfant et enfant/adulte. L'élève est amené non seulement à nommer des objets, à décrire des actions, à interroger, à donner des ordres, bref à agir sur son environnement **(fonction communicative de la langue),** mais aussi à exprimer des sentiments, à jouer avec des sons, avec des mots, à rêver **(fonctions symbolique et poétique** de la langue).

À travers certains jeux apparaissent des structures appartenant à des situations de communication spécifiques. Par exemple, "C'est à toi de jouer, pioche, lance le dé, j'ai gagné, prends une carte, j'ai x points" etc. sont des structures utilisées dans les jeux de société. Ce langage ne fait pas l'objet d'activités spécifiques mais il est progressivement assimilé par les enfants.
Ces remarques s'appliquent également aux activités manuelles : "Découpe, colorie, prends tes ciseaux, ta gomme, tes crayons de couleur" etc.

Le registre de la langue utilisée dans les chansons et les activités est celui du français oral courant. On y retrouve donc les structures et le lexique couramment employés par les enfants français. *Exemple :* "y a pas de poulet ! ", "Comment tu t'appelles ? ", la "télé", le "coca", les "bobos", "pépé", "mémé", etc. Selon ses objectifs, le professeur pourra utiliser un autre registre de langue.

d. Progression, niveaux, objectifs

"Le français en chantant" est un matériel dans lequel le professeur puise en fonction de ses objectifs et des besoins de sa classe. **Les unités** ne sont pas rangées selon une progression linguistique préétablie. Cependant, **dans une même unité,** les activités proposées suivent une progression d'acquisition de la langue que le professeur ne doit pas négliger.
Certaines activités ou variantes d'activités nécessitent un bagage langagier plus important et appartiennent au niveau 2 d'apprentissage (cf. tableau d'objectifs et de niveaux au début de chaque unité). Chaque unité vise des objectifs communicatifs (*exemple :* saluer, localiser, caractériser, etc.) et linguistiques (lexique, structure, phonétique, cf. tableau page suivante).

CHANSON	THÈME	COMMUNICATION	PHONÉTIQUE	LEXIQUE	STRUCTURES
La ballade des chiffres	Les chiffres	donner des ordres donner/comprendre un n° de téléphone	[s] / [z]	Les chiffres Les opérations mathématiques (+, −, ×, :)	"c'est plus grand/petit" "est-ce que c'est...?" "il y en a + nombre" "quel est ton numéro ? " "mon numéro est ..." "claque des doigts" "frappe dans tes mains"
Les courses	Les magasins Les achats	donner/comprendre des ordres formuler poliment une demande	[ɔ̃] / [ɑ̃]	Les produits de consommation courante Les commerçants	"je voudrais" "va à + commerce" "va chez + commerçant" "il est + commerçant" "j'achète + produit" "bonjour/au revoir" "s'il vous plaît/merci"
Un drôle de restaurant	Au restaurant La nourriture	saluer passer une commande exprimer la colère, la surprise, la satisfaction et la déception	[f] / [v] intonation de colère de surprise, de satisfaction et de déception	Les aliments	"il y a/il n'y a pas" "je voudrais du/de la/ des"
Le clown	Le cirque	décrire, se décrire se présenter exprimer la possession	[o] / [ɔ̃] [ʒ] / [ʃ]	Les vêtements Les couleurs	"qu'est-ce que c'est ? " "c'est un/une/des" "je m'appelle..." "déterminant + est + couleur" "qu'est-ce qu'il manque ? " "il manque..." "le clown + a/n'a pas de" "je/tu/il" "mon/ton/son/ma/ta/sa mes/tes/ses"

CHANSON	THÈME	COMMUNICATION	PHONÉTIQUE	LEXIQUE	STRUCTURES
Je t'aime bien	Les relations garçons/filles Les loisirs Les projets de métier Les goûts personnels	exprimer ses sentiments, ses goûts demander un renseignement	[ɛ̃]	Les noms de métier Les loisirs	"je suis/tu es/ il/elle est + métier" "j'/il aime bien/un peu/beaucoup/ passionnément, à la folie" "j'/il adore je/il n'aime pas/ pas du tout"
En voiture	La famille	identifier se présenter localiser	[œ] [ã]	Les membres de la famille	"je m'/il/elle s'appelle" "je suis/il/elle est + nationalité" "... + né(e) en/à/au" "j'ai/il/elle a + âge + x frère/sœur" "où est... ? " "x est devant/derrière y" "x est entre y et z"
Le zoo	Les animaux du zoo Chez le docteur	saluer exprimer son état de santé	[s] / [z] les rimes	Les animaux du zoo Le corps	"voici un/le" "je/tu/il/elle + avoir mal à/au + partie du corps" "comment ça va ? " "bien/mal/très mal"
Le fantôme	La maison Les bruits	localiser donner un ordre demander quelque chose	[ɥi]	Les pièces de la maison Les meubles Les verbes exprimant un déplacement	"c'est le/la + pièce" "il entre dans + pièce" "il/elle sort de + pièce" "il/elle monte/ entre/sors/ descends" "où est... ? " "je voudrais..."

CHANSON	THÈME	COMMUNICATION	PHONÉTIQUE	LEXIQUE	STRUCTURES
La fête de Saint-Martin	Les instruments de musique	identifier caractériser	[ɛ] / [ɔ̃] / [ã]	Les instruments de musique	"est-ce que c'est + substantif ?" "c'est + substantif ? " "qu'est-ce qu'il/elle fait ?" "il joue + instrument" "c'est lui/elle" "il joue bien/mal"
Les voyelles	Les lettres	caractériser	[a] / [ø] / [i] / [o] / [y]	Les contraires grand/petit, jeune/vieux gentil/méchant	"moi, je" "je suis/tu es/il/elle est + adj. masc./fem." "je suis/tu es/il/elle est + art + adj. + nom" "c'est un + nom" "c'est le/la + adj. + nom"

V. Démarche d'utilisation

a. Sensibilisation au thème

Précédant la présentation d'une chanson, cette phase suscite l'intérêt des élèves, développe leur imagination de façon à dégager les éléments langagiers qui apparaîtront ultérieurement dans la chanson ou dans les activités (emploi du lexique et de certaines structures). Ce travail, conduit sous forme de discussions, de sorties, de projections audio-visuelles, peut se pratiquer en langue maternelle.

b. Écoute de la chanson et présentation des gestes

Le professeur doit connaître les différentes composantes de la chanson : paroles, mélodie, rythme, gestes.
Il chante ou fait écouter plusieurs fois la cassette. Il accompagne la chanson des gestes (qu'il fait seul dans un premier temps et qui seront rapidement imités par les enfants).

c. Expression spontanée

Après plusieurs écoutes, le professeur invite les enfants à exprimer leurs premières réactions : les goûts, les émotions, les impressions, les remarques sur la langue (rimes, sons récurrents, etc.), la perception des gestes et leur interprétation.

d. Hypothèses sur le sens

Il s'agit d'une phase au cours de laquelle le professeur exploite les remarques **spontanées** des élèves (repérage d'un bruitage, d'un mot connu ou transparent, reconnaissance d'un instrument, du sexe de la personne qui chante, signification d'un geste, etc.) pour leur faire émettre des hypothèses sur le sens général. *Exemple :* un enfant perçoit les mots "crocodile" et "éléphant", il peut en déduire que l'action se situe en Afrique ou dans un zoo.

e. Vérification des hypothèses

Par une écoute plus **fine, systématique** et **dirigée** reprenant les indices relevés par les élèves, le professeur les amène à vérifier leurs hypothèses.

f. Premières activités phonétiques

Il s'agit des activités 1, 2 et parfois 3 de chaque unité (repérage de sons, pigeon-vole, boîte à sons, etc.).

g. Apprentissage systématique (cassette)

La démarche d'apprentissage avec la cassette est détaillée dans chaque unité (cf. 3. Remarques pour l'apprentissage). Elle repose sur le principe de répétition en écho :
1) Écoute d'un premier passage : version originale (cassette)
2) Répétition de ce phrasé, par le professeur, **sous forme parlée**
3) Idem par la classe
4) Nouvelle écoute du passage (cassette)
5) Répétition par les élèves sur la version instrumentale (cassette).

Cette démarche, reprise pour les autres phrasés, permet l'apprentissage segmenté de la chanson. Pour les enchaînements, le professeur utilise la version instrumentale ou la version originale.

h. Activités

Pour chacune d'elles, nous suggérons un déroulement que le professeur peut suivre à la lettre ou adapter selon le niveau de ses élèves, ses objectifs d'enseignement et le matériel dont il dispose.

B. Présentation détaillée d'une unité

I. La chanson

1. Le texte

2. La musique

Le professeur y trouve la partition de la mélodie de la chanson.

3. Remarques pour l'apprentissage

Outre la démarche d'apprentissage avec la cassette, il nous a paru nécessaire de préciser certains éléments musicaux : rythme, tempo, durée, attaque de la note de départ, interprétations, etc.

4. Les gestes

Paroles et gestes correspondants sont mis en parallèle dans un tableau.

5. Analyse

L'objectif de cette rubrique, qui s'adresse au professeur, est d'approfondir la connaissance de la langue par l'étude du lexique, de la grammaire, de la conjugaison, du style, des éléments de civilisation et de la phonétique.

II. Les activités

1. Objectifs et niveaux

Le professeur y trouve un tableau présentant les objectifs de chaque activité. Dans la colonne de droite apparaissent les niveaux : 1, pour les activités nécessitant l'apprentissage de la chanson et la pratique des précédentes activités de l'unité ; 2, pour les activités nécessitant des connaissances préalables.

2. Déroulement

Il précise l'enchaînement des activités, le matériel nécessaire à leur réalisation, le nombre de joueurs et fait référence au cahier de l'élève, aux planches et aux règles des jeux.

C. Règles des jeux

Pigeon-vole (son)

Le professeur prononce le son à reconnaître. Il fait écouter (ou chanter) la chanson. Chaque fois que ce son apparaît, les élèves doivent lever la main. Puis, il fait répéter à la classe le son reconnu. Ce jeu peut ensuite être fait avec un vocabulaire plus étendu.

Remarque : on peut demander aux enfants de trouver la place du son dans le mot prononcé : au début, au milieu ou à la fin.

Pigeon-vole (mot)

Le professeur prononce le mot à reconnaître. Il fait écouter (ou chanter) la chanson. Chaque fois que ce mot apparaît, les élèves doivent lever la main. Puis, ils le répètent ensemble. Ensuite, ce mot peut être présenté dans une liste.

Jeu de mémoire

La classe est répartie en groupes de 2 à 5 enfants.
Le professeur présente les cartes à la classe et fait répéter les mots.
Par groupe, mélanger 2 séries identiques de x cartes (*exemple :* 2 chats, 2 maisons, etc.). Les aligner, face cachée, sur la table.
Le but du jeu est de constituer le plus grand nombre de paires de cartes identiques.
Chaque joueur, à tour de rôle, retourne 2 cartes et les nomme. Si elles sont identiques, il les garde et rejoue. Si les cartes sont différentes, il les replace, face cachée. (Pour gagner, l'élève doit nommer les 2 éléments retournés.)
Variante : les 2 éléments d'une paire ne sont pas identiques mais ont un lien logique entre eux : la carte-boulanger avec la carte-pain, etc. Il s'agit alors d'un jeu de mémoire-association.

Loto

Chaque élève reçoit une carte sur laquelle figurent des dessins ou des nombres dans des cases. Toutes les cartes sont différentes. Le professeur (ou un élève) tire au sort des nombres ou des dessins qu'il nomme ou montre. Lorsque le nombre ou le dessin se trouve sur sa carte, l'enfant y pose un jeton. Le premier élève qui a rempli sa carte (ou bien une ligne ou une colonne déterminée à l'avance) a gagné. On relit à haute voix pour vérification.

Bingo

Les élèves reçoivent une carte de x cases (3 à 20). Dans chaque case, ils écrivent un nombre ou font un dessin choisi dans une liste. Le professeur (ou un élève) tire au sort des nombres ou des dessins et les nomme. Les élèves doivent recouvrir le nombre ou le dessin correspondant sur leur carte. Le premier enfant dont la carte est pleine crie "Stop" et il la relit à haute voix pour vérification.

Le dernier roi

Ce jeu comporte plusieurs variantes qui peuvent s'appliquer à différents lexiques. Pour faciliter la présentation de ce jeu, nous avons choisi le lexique des nombres. Tous les élèves sont debout à leur place. Le professeur présente une carte sur laquelle est écrit un nombre et s'adresse aussitôt aux deux premiers élèves de la rangée et leur pose une question (*exemple :* "Quel est le nombre écrit sur la carte ?", ou "Quel est le nombre qui vient après ?", etc.). Le premier qui répond reste en jeu, l'autre s'assied. Quand tous les couples de la classe ont été interrogés, le jeu continue avec les gagnants du premier tour. Le dernier en lice est le roi (des nombres, par exemple).

Le plus rapide

Le professeur écrit au tableau des chiffres dans le désordre. La classe est divisée en deux groupes. Un représentant de chaque groupe va au tableau avec une craie de couleur différente. Le professeur (ou un élève) lit un des chiffres écrits. Le premier représentant qui le repère, l'entoure et marque un point pour son équipe.

Remarque : il faut suffisamment de chiffres pour que la recherche visuelle soit efficace.

Ce jeu peut se pratiquer avec des figurines sur un tableau de feutre, ou avec des objets que l'on prend sur une table.

Jacques a dit

Les élèves sont debout. Le professeur (puis un élève) donne au groupe l'ordre d'exécuter certains gestes.

Si cette consigne est précédée de "Jacques a dit", les enfants doivent exécuter le mouvement demandé.

Si la consigne n'est pas précédée de "Jacques a dit", les enfants conservent la position ou le mouvement précédent.

L'élève qui se trompe s'assied. Le dernier élève debout a gagné.

Exemples : Jacques a dit : "les mains sur la tête". (Les enfants se mettent les mains sur la tête). Tapez des pieds. (Pas de mouvement des pieds mais au contraire les enfants gardent les mains sur la tête.)

Remarque : ce jeu permet d'utiliser facilement le vocabulaire de la localisation (devant, derrière, sur, sous, au-dessus de, au-dessous de, etc.) et de réemployer différents lexiques (nombres, schéma corporel, mobilier de la classe, etc.).

Qui a disparu ?

Le professeur présente des dessins ou des figurines sur une table ou au tableau. Il les nomme, fait répéter le lexique par la classe, puis individuellement.

Ensuite, tous les dessins (ou figurines) sont cachés (derrière le tableau) et les élèves doivent nommer un à un tous les éléments dissimulés.

Le jeu peut être conduit avec deux équipes A et B qui jouent à tour de rôle. Chaque élément retrouvé donne un point à l'équipe.

Jeu de Kim

Le professeur présente des dessins ou figurines sur une table ou au tableau. Il les nomme, fait répéter le lexique par la classe, puis individuellement.

Un élève sort (ou bien ferme les yeux ou encore tourne le dos à la classe) pendant que le professeur (ou un autre élève) fait disparaître un des éléments présentés. Le premier élève revient et doit retrouver l'élément dissimulé.

Le jeu peut se pratiquer à tour de rôle, avec deux joueurs ou deux équipes A et B.

Chaque élément retrouvé donne un point au joueur ou à l'équipe.

Remarque : avec un nombre plus important d'éléments présentés, on pourra ôter plusieurs objets de l'ensemble.

Jeu du portrait

Le professeur (puis un élève) pense à une personne, un animal, un objet, une ville, etc. Les élèves posent des questions pour retrouver de qui ou de quoi il s'agit. *Exemple :* "C'est un homme ? ", "ça comence par un "p" ? ", "il/elle est petit(e) ? ", "il habite en/à... ? ", etc. Le professeur ne répond que par oui ou par non.

Jeu de devinette

Le professeur (puis un élève) choisit mentalement un nom d'animal, d'objet, de lieu ou de personne. Le meneur de jeu donne les caractéristiques de son choix en utilisant des structures du type : "c'est un animal, il est grand, il habite en Afrique, il est gris, il a de grandes oreilles, etc. Qui est-ce ? ". Le premier élève qui trouve devient meneur à son tour.

Jeu des familles

Nombre de joueurs : 3 à 5 selon le nombre de cartes.
But du jeu : réaliser le plus grand nombre de familles (constituées d'un grand-père, d'une grand-mère, d'un père, d'une mère, d'un fils et d'une fille).
Déroulement : on distribue 5 cartes à chaque joueur ; le reste, qui s'appelle la "pioche", est disposé au milieu des joueurs. Le joueur placé à gauche de celui qui a distribué demande à l'adversaire de son choix une des cartes qui lui manquent pour compléter une famille. *Exemple* : "dans la famille-voiture, je demande la fille." Si le joueur interrogé possède la carte, il la donne et le demandeur "pioche" une carte. Si cette carte est la bonne, il peut continuer mais si ce n'est pas la bonne, c'est au tour du joueur interrogé de jouer.

La ballade des chiffres

I. La chanson

1. Le texte

Paroles : V. Heuzé et J.C. Delbende
Musique : V. Heuzé
Arrangements : M. "Jason" Richard

Un, deux, trois,
Claque tes doigts.

Quatre, cinq, six,
Tape tes cuisses.

Voilà sept,
Sur ta tête.

Huit et neuf et dix,
Tous les enfants applaudissent.

Onze, douze, treize
Sur ta chaise.

Quatorze, quinze,
Comme le singe.

Seize, dix-sept,
Sur ta tête.

Dix-huit, dix-neuf, vingt,
On recommence, frappe dans tes mains.

Un, deux, trois, quatre, cinq, six, sept, huit,
Il faut maintenant apprendre la suite.

2. La musique

16

3. Remarques pour l'apprentissage

Quatre mesures d'introduction précèdent l'attaque du chant. Il faut suivre la contrebasse qui donne la pulsation de la chanson. Dans la première partie, les enfants répètent les paroles du chanteur sauf les phrases :
"8 et 9 et 10, tous les enfants applaudissent" et "18, 19, 20, on recommence, frappe dans tes mains", dans lesquelles le chanteur et les enfants chantent à l'unisson.
Dans la deuxième partie, le chanteur et les enfants chantent ensemble, puis tapent dans leurs mains.
À la fin de la chanson, ils comptent ensemble de 1 à 8, puis le chanteur annonce "il faut maintenant apprendre la suite".

La cassette	la classe	
	écoute	chante
Version originale	x	
"Vous avez bien écouté ? Alors, maintenant,vous allez chanter à la place des enfants."	x	
Version originale sans les voix d'enfants, avec le piano (1ʳᵉ partie)		x
"Maintenant, vous allez chanter toute la chanson, n'oubliez pas de taper dans vos mains."	x	
Version originale (sans la voix adulte en 2ᵉ partie)		x

4. Les gestes

Un, deux, trois,	compter sur les doigts : montrer 1 avec le pouce, montrer 2 avec le pouce et l'index, 3 avec le pouce, l'index et le majeur.
Claque tes doigts.	claquer des doigts
Quatre, cinq, six,	montrer 4, 5, puis 6 doigts.
Tape tes cuisses.	se frapper les cuisses.
Voilà sept,	montrer 7 doigts.
Sur ta tête.	se taper sur la tête.
Huit et neuf et dix,	montrer 8, 9, et 10 doigts (les 2 mains grandes ouvertes face à la classe).
Tous les enfants applaudissent.	battre des mains.

Onze, douze, treize,	compter sur les doigts : montrer 1 avec le pouce, montrer 2 avec le pouce et l'index, 3 avec le pouce, l'index et le majeur.
Sur ta chaise.	frapper sur sa chaise.
Quatorze, quinze,	montrer 4, puis 5 doigts.
Comme le singe.	se frapper la poitrine avec les poings.
Seize, dix-sept,	montrer 6, puis 7 doigts.
Sur ta tête.	se taper sur la tête.
Dix-huit, dix-neuf, vingt,	montrer 8, 9, puis 10 doigts.
On recommence, frappe dans tes mains.	frapper des mains.
Un, deux... huit,	compter sur ses doigts.
Il faut maintenant apprendre la suite.	frapper l'index sur la table, de gauche à droite, pour suggérer une suite.

5. Analyse

Vocabulaire

"claquer" : on dit "claquer des doigts" ou "claquer ses doigts".
Autres expressions : "claquer la porte" (la fermer violemment), "les volets claquent" (ils s'ouvrent et se ferment bruyamment à cause du vent), "donner une claque" (gifler).

"taper", **"frapper"** : donner des coups à quelqu'un ou sur quelque chose (battre).
Autre expression : "taper du/des pied(s)" (frapper le sol avec ses pieds pour manifester impatience ou nervosité, ou, battre la mesure avec le pied).

"il faut" + infinitif : tournure impersonnelle marquant l'obligation.

Grammaire

"tous" : adjectif indéfini. Il s'accorde : tout le monde, toute la terre, tous les garçons, toutes les filles.

"Voilà" : adverbe. Sert à présenter un être animé ou à introduire un objet (ici la représentation du 7).

"huit et neuf et dix" : pour des raisons musicales, le "et" est répété. Il faudrait dire "huit, neuf et dix" comme dans toute énumération. Cependant, la répétition du "et" est parfois une forme d'insistance : "Il a bu du vin et de la bière et du whisky, il a été malade toute la nuit".

Conjugaison :

impératif : "tape", "claque", "frappe" : invitation, ordre.
Dans l'expression "sur ta tête", la répétition de l'impératif "tape" est sous-entendue.

présent de l'indicatif : "tous les enfants applaudissent", "on recommence". Le présent a ici une valeur d'impératif.

Phonétique

Prononciation des nombres

1	S'ils précèdent un mot commençant	un an [œ̃nã]
2	par une voyelle ou un "h" muet,	deux hommes [døzɔm]
3	il y a liaison.	trois ans [tRwazã]
4	S'il précède un mot commençant par une consonne, il a tendance à se prononcer [kat].	quatre lits [katli]
5	Dans la plupart des cas, la consonne finale est prononcée.	cinq pains [sɛ̃kpɛ̃] mais : cinq cents francs [sɛ̃sãfRã]
6	S'il précède un mot commençant par une consonne : [si]. S'il précède un mot commençant par une voyelle ou un "h" muet : [siz]. En fin de phrase : [sis]	six pains [sipɛ̃] six hommes [sizɔm] j'en veux six [ʒãvøsis]
7	Toujours [sɛt].	sept pains [sɛtpɛ̃]
8	S'il précède un mot commençant par une voyelle, ou en fin de phrase : [ɥit]. S'il précède un mot commençant par une consonne : [ɥi]	huit ans [ɥitã] huit pains [ɥipɛ̃]
9	Le [f] final est toujours prononcé : [nœf], sauf exception.	neuf amis [nœfami] neuf ans [nœvã]
10	Même remarque qu'en 6.	
17	la finale de dix se prononce [s].	dix-sept [dissɛt]
18	la finale de dix se prononce [z].	dix-huit [dizɥit]
19	la finale de dix se prononce [z] + même remarque qu'en 9 pour la prononciation de [f].	dix-neuf [diznœf] dix-neuf ans [diznœvã]

II. Les activités

1. Objectifs et niveaux

Activités	Objectifs	Niveaux
1	Acquisition des sons [s] et [z].	1
2	Mise en opposition des sons [s] et [z].	1
3	Contrôle de la compréhension de la chanson.	1
4	Retrouver un nombre par encadrement. Utilisation de *c'est plus grand/petit*.	1
5	Apprentissage de la suite des nombres.	1
6	Reconnaissance orale des nombres.	1
7	Idem	1
8	Acquisition des structures : *"Quel est ton numéro de téléphone ? ", "Mon numéro est ..."*	1
9	Rapidité de la compréhension orale.	1
10	Idem	1
11	Lecture rapide des nombres et calcul mental. Emploi du lexique des mathématiques (plus, moins, fois).	2 2
12	Compréhension de structures impératives.	2
13	Prononciation des nombres avec liaison ou non dans les structures "il y en a + nombre" et "il y a + nombre + substantif."	2

2. Déroulement

Sensibilisation au thème

Les multiples emplois des nombres (mathématiques, numéro des pages de manuel, jours du mois, achats, numéros de téléphone, etc.) permettent d'introduire facilement cette chanson dans la programmation de l'enseignement du français.

Activité 1 : Pigeon-vole (règle p. 13)

Cette activité se pratique avec les sons [s] et [z] contenus dans les mots de la chanson.
Mots contenant [s] : *cinq, six, cuisse, sept, sur, dix, applaudissent, singe, dix-sept, recommence, suite.*
Mots contenant [z] : *les enfants, onze, douze, treize, chaise, quatorze, quinze, seize, dix-huit, dix-neuf.*

Activité 2 : Coloriage (cahier d'activités p. 6)

L'élève doit colorier d'une couleur les nombres ou les objets contenant le son [s] et d'une autre couleur ceux contenant le son [z].

Activité 3 : Des chiffres et des gestes (cahier d'activités et cassette p. 7)

Le professeur fait écouter la chanson et arrête l'audition après chaque action (*exemple :* première séquence : un, deux, trois, claque tes doigts). Les élèves associent les chiffres entendus au dessin correspondant.
Variante : s'arrêter après chaque série de chiffres. (*Exemple :* deuxième séquence : 4, 5, 6).

Activité 4 : Deviner un nombre

Le professeur (puis un élève) pense à un nombre qu'il écrit sur une feuille ou au dos du tableau. Les élèves tentent de trouver ce nombre en formulant diverses propositions du type : "C'est 13 ?" ou "Est-ce que c'est 13 ?". Le professeur ou l'élève aide la recherche en donnant des indications du type : "C'est plus petit/grand". L'élève qui trouve la bonne réponse prend la place du meneur de jeu.

Activité 5 : Tomber pile

Ce jeu se joue à 2. Il s'agit de compter de 1 à 11. Chaque élève donne à tour de rôle un ou deux chiffres. Le premier qui dit 11 a gagné. *Exemple :*
- Élève A : "1, 2"
- Élève B : "3"
- Élève A : "4"
- Élève B : "5, 6"
- Élève A : "7, 8"
- Élève B : "9"
- Élève A : "10, 11"
Variante : le nombre fixé peut être 21, 31, etc.

Activité 6 : Bingo (règle p. 13)

Chaque élève reçoit un carton de 5 cases vides et y inscrit 5 nombres choisis parmi ceux proposés par le professeur (ou un meneur de jeu).

Activité 7 : Loto (règle p. 13)

Chaque élève reçoit un carton sur lequel figurent 10 nombres de 0 à 20. Le professeur détient 20 cartes portant les nombres 1 à 20. Il les montre, les lit et les fait répéter. Il les cache dans un sac et commence le tirage au sort.
Remarque : étendre la liste des nombres et donc le nombre de cases du carton en fonction du niveau de la classe.

Activité 8 : L'annuaire téléphonique

La classe est divisée en 2 groupes A et B. Chaque élève du groupe A reçoit une carte avec un numéro de téléphone, chaque élève du groupe B reçoit la liste des élèves du groupe A. À tour de rôle, les élèves B interrogent les élèves A pour connaître leur numéro et les inscrivent sur leur liste. *Exemple :* un élève B : "Céline, quel est ton numéro de téléphone ?"
Céline (groupe A) répond : "Mon numéro est..."
Tous les élèves du groupe B notent ce numéro à côté du prénom Céline. Et ainsi de suite avec les autres numéros. Puis on vérifie l'exactitude de l'annuaire téléphonique réalisé.
Quand ce travail est terminé, on inverse les groupes. Le groupe le plus rapide et le plus précis a gagné.
Variante : tous les enfants reçoivent un numéro de téléphone et une liste des élèves. Ils se déplacent pour aller chercher l'information auprès de chaque élève de la classe (dialogue). Le premier enfant qui ramène au professeur un annuaire sans erreur a gagné.
Remarques : on ne doit montrer ni son numéro, ni sa liste (travail oral en français exclusivement).
En fonction du niveau des élèves, on fera lire les numéros chiffre par chiffre ou, comme en France, 2 chiffres par 2 chiffres. *Exemple :* 80. 67. 50. 50. se lit "quatre-vingt, soixante-sept, cinquante, cinquante.

Activité 9 : Le plus rapide (règle p. 14)

Suivre la règle du jeu en écrivant en désordre au tableau des nombres de 0 à 20.

Activité 10 : Le béret

La classe est divisée en 2 équipes séparées par une dizaine de mètres et se faisant face. Le professeur attribue discrètement à chaque membre de l'équipe un numéro de 1 à x (en fonction du nombre d'enfants). Le professeur (ou un élève meneur de jeu) appelle un numéro : "J'appelle les numéros 3". L'élève de chaque équipe portant ce numéro doit aller ramasser un foulard placé à mi-distance de chaque groupe en gardant une main derrière son dos. Celui qui le rapporte dans son camp sans se faire toucher par son adversaire fait marquer un point à son équipe.
Variante : on peut compliquer en donnant des nombres plus grands. L'essentiel étant que ces nombres soient attribués dans les 2 équipes.

Activité 11 : Le dernier roi (règle p. 13)

a. Lecture rapide :
Le professeur (ou un meneur de jeu) présente à 2 élèves un nombre écrit sur une carte. Le premier qui le lit correctement reste en jeu, l'autre s'assied.
b. Calcul mental :
Le professeur propose à 2 élèves une opération. Le premier qui répond correctement reste en jeu.
Exemple : "2 plus 6 ?", "3 fois 3 ?", "10 moins 4 ?"

Activité 12 : Jacques a dit (règle p. 14)

Le professeur utilise les structures impératives contenues dans la chanson ("claque des doigts", "frappe dans tes mains", etc.) ou des structures déjà connues des enfants ("levez-vous", "asseyez-vous") et des ordres contenant le lexique des nombres ("montrez 3 doigts").

Activité 13 : Cherche et devine (cahier d'activités p. 8)

a. Un élève A choisit une image de la planche. Le professeur l'interroge pour retrouver le numéro de cette image. Il commence par rechercher le nombre d'éléments présents sur le dessin, puis leur nom.

Exemple de dialogue :

- "Il y en a 4 ?
- Non.
- Il y en a 6 ?
- Oui
- Il y a 6 citrons ?
- Non.
- Il y a 6 enfants ?
- Oui…
- C'est le numéro 12 ! "

b. Un élève B choisit à son tour une image et la classe l'interroge. L'élève qui a posé le moins de questions gagne la partie.

Variante : Ce jeu peut se faire à deux.

Les courses

I. La chanson

1. Le texte

Paroles : V. Heuzé et J.C. Delbende
Musique : V. Heuzé
Arrangements : M. "Jason" Richard

Ma petite maman me dit :
"Va très vite à l'épicerie,
Ensuite cours à la pharmacie,
Puis à la boulangerie...
Une salade, un citron,
Du coton, du savon,
Une baguette, des bonbons.
Fais bien attention..."

Ma petite maman me dit :
"la la la la la la la,
Ensuite cours à la pharmacie,
Puis à la boulangerie...
la la la, la la la,
Du coton, du savon,
Une baguette, des bonbons.
Fais bien attention..."

Ma petite maman me dit :
"la la la la la la la,
la la la la la la la,
Puis à la boulangerie...
la la la, la la la,
la la la, la la la,
Une baguette, des bonbons.
Fais bien attention..."

Ma petite maman me dit :
"la la la la la la la,
la la la la la la la,
la la la la la la la,
des bonbons, des bonbons,
des bonbons, des bonbons,
des bonbons, des bonbons,
Encore des bonbons.

2. La musique

24

3. Remarques pour l'apprentissage

Le chant commence après le quatrième temps de la quatrième mesure d'introduction. La contrebasse donne la pulsation. Il suffit d'apprendre le couplet 1, puis de remplacer dans le couplet 2 les lignes 2 et 5 par des "la la la". Idem dans le couplet 3 avec les lignes 2, 5 et 6. Dans le couplet 4, on remplace les lignes 2, 3 et 4 par des "la la la" et les lignes 5, 6 et 7 par "des bonbons, des bonbons".
Pour la version instrumentale, les élèves sont guidés par un piano.

La cassette	la classe	
	écoute	chante
Version originale	x	
"À vous d'apprendre maintenant, attention, écoutez bien ! "	x	
Introduction → ... boulangerie : version originale	x	
"Allez, à vous de faire les courses ! "	x	
Introduction → ... boulangerie : version instrumentale		x
"Vous savez où il faut aller, maintenant, écoutez ce qu'il faut acheter ! "	x	
boulangerie → ... fais bien attention : version originale	x	
"C'est à votre tour de chanter. "	x	
... boulangerie → ... fais bien attention : version instrumentale		x
"Vous allez chanter tout seul, n'oubliez pas les la la la, la la la ! "	x	
Version instrumentale intégrale		x
Activité d'écoute : Clément et les courses	x	

4. Les gestes

Ma petite maman me dit :	les 2 mains ouvertes placées en porte-voix.
Va vite à l'épicerie,	index pointé, mouvement du bras vers la gauche indiquant la direction à suivre.
Ensuite cours à la pharmacie,	balancement des bras pliés de chaque côté du corps imitant un coureur à pied.
Puis à la boulangerie...	index pointé, mouvement du bras vers la droite indiquant la direction à suivre.
Une salade,	mimer la forme avec les 2 mains.
un citron,	idem
du coton,	se nettoyer le visage avec un morceau de coton imaginaire.
du savon,	se frotter les mains.
une baguette,	mimer la forme avec les 2 mains.
des bonbons.	se taper le ventre en ouvrant de grands yeux.
Fais bien attention...	à hauteur du visage, mouvement de l'index pointé vers le haut.

5. Analyse

Vocabulaire

"faire les courses" : faire des achats de consommation courante. Synonyme : faire des commissions.

"l'épicerie" : **petit** commerce de détail vendant des produits alimentaires et ménagers. Ce type de commerce a tendance à disparaître au profit des grandes surfaces.

"la boulangerie" : ce commerce est souvent associé à la pâtisserie. De même, on trouve souvent des boucheries-charcuteries.

Grammaire

"une salade, un citron..." : ici commence la liste des commissions à faire.
"du coton, **du** savon" : l'emploi du partitif "du" se justifie, car il s'agit ici, d'exprimer une quantité indéfinie.

Conjugaison

impératif : "va", "cours", "fais attention". L'impératif "achète" est sous-entendu dans la liste des commissions.

Phonétique

Dans la chanson, certains "e" sont prononcés pour des raisons musicales, alors que dans la pratique courante ils sont muets.

Chanson		Langue courante	
pEtite maman	[pətitmamã]	p'tite maman	[ptitmamã]
épicErie	[episəRi]	épic'rie	[episRi]
boulangErie	[bulãzəri]	boulang'rie	[bulãʒRi]

Analyse stylistique

Il s'agit de la formulation en style direct de ce qu'une maman peut dire à son enfant quand elle l'envoie faire des commissions. On trouve donc des indications de déplacement ("va à...") suivies d'une énumération de produits à acheter ("une salade...") et d'un conseil de prudence ("fais bien attention..."). L'enfant oublie les courses importantes ("la la la") pour ne retenir que les bonbons.

II. Les activités

1. Objectifs et niveaux

Activités	Objectifs	Niveaux
1	Discrimination des sons [ɔ̃] et [ã].	1
2	Mise en opposition de [ɔ̃] et [ã].	1
3	Acquisition du lexique des produits : *une salade, un citron, du coton, du savon, une baguette, des bonbons*, et de la structure : "va à + nom de commerce".	1
4	Contrôle de la compréhension du lexique de la chanson.	1
5	Emploi du lexique et des structures précédents + *je voudrais*.	1
6	Même activité avec : "va chez + nom de métier". Extension du lexique des noms de métier.	1 1
7	Extension du lexique des produits : *du coca-cola, de l'eau, une glace, un poulet, du jambon, des carottes, des pommes de terre, un stylo, des chewing-gums, un journal,*	2

Activités	Objectifs	Niveaux
8	Discrimination des sons [ɔ̃] et [ɑ̃] dans les lexiques précédents.	1
9	Emploi des noms de produits et noms de métiers correspondants.	2
10	Compréhension globale d'un message sonore reprenant le lexique et les structures précédents.	2
11	Utilisation des lexiques précédents. Utilisation de la langue des jeux de société.	2 2

2. Déroulement

Activité 1 : Pigeon-vole (règle p. 13)

Cette activité se pratique avec le son [ɔ̃] contenus dans les mots de la chanson : *citron, coton, savon, bonbon, attention.*
Idem avec le son [ɑ̃] : *maman, ensuite, boulangerie, attention.*

Activité 2 : Création de mots

Le professeur propose un mot contenant le son [ɔ̃], la classe doit créer un mot dans lequel le son [ɔ̃] est remplacé par le son [ɑ̃].
Exemple : professeur → savon
élève → savant
Idem avec les mots suivants : *dent/don, trompe/trempe, banc/bon, long/lent, jonc/Jean, son/sang, ballon/ballant, galon/galant, levons/levant, gant/gond, ciment/Simon.*

Activité 3 : Produits-commerces

a. Le professeur présente la classe les cartes suivantes : une baguette, des bonbons, du coton, du savon, un citron. Il dit les mots et les fait répéter. Il fait de même avec les dessins suivants : une pharmacie, une boulangerie, une épicerie.
b. Les cartes-produits sont placées dans un panier. Les dessins de commerces sont affichés au tableau. Un meneur de jeu tire une carte du panier et la nomme, le reste de la classe lui indique où l'on peut trouver ce produit. Exemple de réponse possible : "va à la boulangerie" ou "cours à la pharmacie".
Remarque : pour la présentation du lexique, le professeur peut apporter les produits en classe.

Activité 4 : Écoute et colorie (cahier d'activités p. 10 et cassette)

a. Les élèves observent la bulle 1 et écoutent la 1ʳᵉ strophe de la chanson (de "Ma petite maman" jusqu'à "fais bien attention"). Le professeur fait écouter ce passage une seconde fois en arrêtant la cassette après chaque élément dessiné dans la bulle 1. Les élèves colorient ainsi au fur et à mesure les éléments reconnus.
b. Idem pour les autres strophes avec les bulles 2, 3 et 4 dans lesquelles certains dessins ne seront pas coloriés car ils sont remplacés dans la chanson par des "la la la".

Activité 5 : Va faire les courses

Trois enfants tiennent des commerces symbolisés par une pancarte.
Le reste de la classe est divisé en 2 équipes A et B.
Un joueur de chaque équipe vient au tableau.
Le professeur montre au joueur de l'équipe A une carte sur laquelle est dessiné un produit cité dans la chanson. Cet élève appelle un joueur de son équipe et lui dit : "va à + nom de commerce, je voudrais + nom de produit".
L'élève appelé va vers le commerce et dit : "Bonjour Monsieur/Madame, je voudrais + nom de produit".
Puis à son tour, un enfant de l'équipe B reçoit une carte-produit.
L'équipe qui a ramené le plus de produits a gagné.
Remarque : à la disposition des enfants-commerçants, le professeur prévoira plusieurs exemplaires de chaque produit, ou alors il les dessinera sur des cartes.

Activité 6 : Produits-commerçants

Le professeur montre chacun des enfants-commerçants et dit : "il est + nom de métier" (boulanger, pharmacien, épicier) et fait répéter la structure à la classe.
On reprend le jeu précédent avec la structure : "va chez + nom de métier".
Variante 1 : étendre le lexique à d'autres noms de métiers, notamment : le boucher, le marchand de journaux.
Variante 2 : utiliser au choix les structures "va à + commerce" ou "va chez + commerçant".

Activité 7 : Le panier de commission

Cette activité se pratique avec le lexique suivant : *du coca-cola, de l'eau, du coton, du savon, une glace, une baguette, un poulet, du jambon, des carottes, des pommes de terre, des chewing-gums, un stylo, un journal, une carte postale.*
Le professeur montre une à une les images représentant chaque produit, il en donne le nom que la classe répète.
a. Le professeur met les images (ou les produits) dans un panier. Les élèves doivent retrouver tous les objets contenus dans le panier en les nommant un à un.
b. La classe est divisée en 2 équipes A et B.
À tour de rôle, une équipe tire une image du panier et la montre. L'autre équipe nomme le produit présenté et gagne l'image. Et ainsi de suite avec toutes les cartes.
L'équipe qui a gagné le plus d'images remporte la partie.
Remarque : quand une équipe ne peut donner la réponse, le professeur ou l'autre équipe donne la solution et la carte est remise en jeu.

Activité 8 : Bon ou banc (cahier d'activités p. 12)

À partir des planches de l'activité 9, le professeur fabrique et distribue à chaque élève les dessins suivants : un bonbon, une boulangerie, un savon, un marchand de journaux, un jambon (deux cartes), du coton.
a. Le professeur demande aux élèves de classer en deux ensembles les mots représentés par ces dessins en fonction des sons qu'ils comportent ([ɔ̃] ou [ɑ̃]).
b. Sur leur cahier, les élèves disposent les dessins dans le tableau.

Activité 9 : La bataille des commerces (cahier d'activités p. 15 et 17)

Description du jeu :
16 cartes-produits.
14 cartes-commerces.
But du jeu : se débarrasser le premier de toutes ses cartes.
Nombre de joueurs : 2 à 4.
Déroulement : un élève distribue 6 cartes à chaque joueur, le reste des cartes constitue la pioche.
Le premier joueur pose une carte-produit (*exemple :* une baguette).
Le suivant doit déposer la carte-commerce correspondante (*exemple :* la boulangerie) et dire :
"j'achète + produit + à + commerce" (*exemple :* "j'achète une baguette à la boulangerie"). Il emporte
alors la paire de cartes et rejoue.
Si le joueur n'a pas la carte-commerce correspondante, il doit déposer une carte-produit. S'il n'en a
pas, il pioche et donne son tour au joueur suivant.
Au cours du jeu, il peut y avoir plusieurs cartes-produit sur la table. Dans ce cas, le joueur qui rejoue
peut déposer une carte-commerce correspondant à un des produits, emporter la paire et rejouer.
Remarque : la carte-épicerie permet d'acheter n'importe quel produit.
Variante : quand un joueur n'a plus de cartes, il pioche et le jeu se poursuit jusqu'à épuisement de
la pioche. Le but du jeu est alors de constituer le plus grand nombre de paires.

Activité 10 : Clément et les courses (cahier d'activités p. 11 et cassette)

Écoute du message sur la cassette :
"- Clément !
- Oui, Papa.
- Tu peux me faire quelques courses ?
- Ben, oui Papa.
- Alors, écoute bien et écris sur une feuille : d'abord tu vas à la boulangerie et tu achètes 4 baguettes.
- Oui... à la boulangerie, 4 baguettes.
- Ensuite tu vas chez le marchand de journaux et tu achètes le journal.
- OK, le journal.
- Et puis après, tu vas à l'épicerie et là, tu achètes 2 bouteilles de coca. Ok, ça va ? Tu as tout com-
pris ?
- Oui, oui, à l'épicerie... deux bouteilles de coca.
- Et en sortant tu vas chez le boucher et tu achètes un poulet et après, tu iras à la pharmacie pour
acheter du coton.
- Bon, attends, attends, je note : à la boucherie un poulet et...?
- Et du coton à la pharmacie.
- Oui, c'est clair, chez le pharmacien du coton. Oh la la ! quel travail ! Bon, je répète tout :
4 baguettes, le journal, 2 bouteilles de coca, 1 poulet et du coton. C'est bon, j'ai rien oublié."
- C'est bien, et fais bien attention !
Sur son cahier, l'élève doit tracer le chemin à parcourir d'un commerçant à l'autre dans l'ordre des
commissions et il doit dessiner à côté de chaque magasin ce que Clément doit acheter.
Dans la phase de mise en commun, l'élève dit : "Il va à + commerce et il achète + aliment".

Activité 11 : Jeu de l'oie (cahier d'activités p. 12 et 13)

Nombre de joueurs : 2 à 5.
Matériel : cahier d'activités, 1 dé par groupe et 1 pion par joueur (placé sur la case départ = la maison).
But du jeu et gain de la partie : faire ses courses le plus vite possible et revenir à la case départ.
Déroulement : chaque enfant choisit une carte comportant 5 dessins d'achats à faire (un par commerce). *Exemple :* une carte sur laquelle sont dessinés un poulet, un stylo, du coton, une glace, une
bouteille de coca.

Les déplacements se font avec un dé et dans n'importe quelle direction. Pour faire un achat, il faut tomber pile sur la case du commerce désiré.

Chez le commerçant, l'enfant s'adresse à son voisin de droite :

- "Bonjour Monsieur/Madame, je voudrais + aliment indiqué sur sa carte et correspondant au commerce + s'il vous plaît".

S'il formule correctement sa demande, son voisin barre sur la liste de courses le produit demandé. Sinon, le joueur devra revenir dans ce magasin.

Quand un joueur tombe sur une case coloriée, il peut rejouer à condition de pouvoir nommer un produit que son voisin de droite désigne sur la planche. Quand un joueur tombe sur une case "flèche", il retourne à la maison de départ.

Variante : Jeu de rôle.

5 commerces sont disposés dans la classe et tenus par des élèves. Les autres élèves reçoivent une liste de courses à faire. Les élèves doivent se rendre dans les différents commerces. Ils achètent et reviennent auprès du professeur et d'un groupe d'élèves qui vérifient que la tâche a été correctement remplie.

Exemple de dialogue chez le boucher :

- Bonjour, Monsieur le boucher, je voudrais un poulet, s'il vous plaît.
- Voilà.
- Merci, au revoir Monsieur.

Remarque : selon le niveau, introduire l'utilisation de l'argent français.

Un drôle de restaurant

I. La chanson

1. Le texte

Paroles : V. Heuzé et J.C. Delbende
Musique : V. Heuzé
Arrangements : M. "Jason" Richard

Bonjour Madame, asseyez-vous.
Voilà la carte, que voulez-vous ? } (bis)
   Y a du pâté ?
Y a pas d' pâté.
   Y a pas d' pâté !
Voilà la carte, que voulez-vous ?
Y a pas d'pâté.
Voilà la carte, que voulez-vous ?
   Y a du poulet ?
Y a pas d' poulet.
   Y a pas d' poulet !
Voilà la carte, que voulez-vous ?
Y a pas d' poulet.
Voilà la carte, que voulez-vous ?
    Et y a du riz ?
Y a pas de riz.
   Y a pas de riz !

Voilà la carte, que voulez-vous ?
Y a pas de riz.
Voilà la carte, que voulez-vous ?
   Et y a des fruits ?
Y a pas de fruits.
   Y a pas de fruits !
Voilà la carte, que voulez-vous ?
Y a pas de fruits.
Voilà la carte, que voulez-vous ?
Y a pas d' pâté,
Y a pas d' poulet,
Y a pas de riz, } (bis)
Y a pas de fruits.
   Alors je m'en vais,
   Au revoir Monsieur, } (bis)
   Ce restaurant n'est pas sérieux.

2. La musique

3. Remarques pour l'apprentissage

Cette chanson est un dialogue entre une cliente et un serveur de restaurant. Elle peut donc être chantée par un groupe de filles et un groupe de garçons.
La pulsation du morceau est donnée par une basse. Le chant commence après une introduction à la flûte et à la guitare. Dans la version instrumentale, nous avons remplacé la voix du serveur par un piano. Dans le dernier couplet, le piano remplace à la fois des "la la la" du serveur et les paroles de la cliente.

La cassette	la classe	
	écoute	chante
Version originale	x	
"Dans ce drôle de restaurant, vous êtes le serveur, alors, attention, écoutez bien !"	x	
Introduction → ... que voulez-vous ? : version originale	x	
"Maintenant, à vous de chanter, Monsieur le serveur !"	x	
Introduction → ... que voulez-vous ? : version instrumentale		x
"Écoutez bien la suite maintenant !"	x	
Couplets 1, 2, 3 : version originale	x	
"À vous de répéter, Monsieur le serveur !"	x	
Couplets 1, 2, 3 : version instrumentale		x
"Écoutez bien le passage suivant pour bien l'apprendre !"	x	
"Y'a pas de pâté /poulet /riz /fruit → ... sérieux " : version originale	x	
"Maintenant, répétez ce passage. Le serveur, à la fin, fait la la la."	x	
Version instrumentale de ce passage		x
"Et maintenant, vous allez chanter toute la chanson."	x	
Version instrumentale intégrale		x
Activité d'écoute : "Il y a ou il n'y a pas."	x	
Activité d'écoute : "Surprise, déception, satisfaction ou colère"	x	

4. Les gestes

Bonjour Madame,	mimer l'action de serrer la main.
Asseyez-vous.	geste de la main invitant à s'asseoir.
Voilà la carte,	présenter les 2 mains en forme de livre ouvert.
Que voulez-vous ?	faire semblant d'écrire une commande sur la paume de la main.
Y a du pâté ?	main gauche à plat symbolisant une tranche de pain, la main droite imite le mouvement du couteau qui étale le pâté sur le pain.
Y a pas d' pâté.	mouvement de l'index levé marquant la négation.
Y a pas d' pâté !	les poings sur les hanches, coudes écartés, grimace d'indignation.
Y a du poulet ?	mouvements indiquant le battement des ailes, bras repliés, coudes vers le bas.
Et y a du riz ?	mimer le geste de manger du riz dans un bol avec des baguettes.
Et y a des fruits ?	dans l'espace, l'index dessine un rond symbolisant une pomme (ou une orange, etc.).
Y'a pâs de pâté/ poulet/riz/fruits	reprendre soit le geste de la négation, soit le geste correspondant à chaque aliment.
Alors je m'en vais,	mouvement des bras et des jambes mimant la marche.
Au revoir Monsieur,	main levée en signe d'adieu.
Ce restaurant	les index dessinent une maison en commençant par le toit.
n'est pas sérieux.	geste exprimant la négation.

5. Analyse

Vocabulaire

"voilà" : adverbe. Sert à présenter un être animé ou un objet. Dans un français plus soutenu, il faudrait dire *"voici la carte"* (qui exprime la proximité ou le futur) au lieu de "voilà" (qui exprime l'éloignement et le passé). Cependant, dans la langue orale, "voilà" est plus couramment utilisé.

"la carte" : désigne ici l'ensemble des menus, des plats et des boissons proposés dans un restaurant. Ce mot a différentes utilisations : *carte à jouer, carte géographique, carte d'identité, carte postale*, etc.

"le pâté" : viande, volaille, gibier ou poisson hachés conservés dans une terrine. *Exemple :* un sandwich au pâté de foie.
Autres sens : grosse tache d'encre sur une feuille. Pâté de sable (construction en sable réalisée par les enfants avec des moules). Pâté de maisons (groupe de maisons formant un bloc).

Grammaire

"y a pas" : [japa] contraction de "il n'y a pas", fréquemment utilisée dans la langue orale courante. La forme affirmative est "y a" [ja].

Formes interrogative, négative et exclamative :
Ces trois formes ont été volontairement associées de façon à permettre un travail sur l'intonation.

Y a du pâté ?	(↗)	intonation montante
Y a pas de pâté.	(→)	intonation neutre
Y a pas de pâté !	(↗)	intonation montante

Articles partitifs : désigne une partie indéfinie d'un tout.
Exemples :
"Donne-moi **du** pain ! "	= un morceau de pain.
"Donne-moi le pain ! "	= tout le pain.
"Donne-moi **de la** viande ! "	= un morceau de viande.
"Donne-moi la viande ! "	= le plat de viande.

Attention à la forme négative :
Je veux **du** pain.	→	je ne veux pas **de** pain.
Je veux **de la** viande.	→	je ne veux pas **de** viande.
Je veux **des** fruits.	→	je ne veux pas **de** fruits.

Conjugaison

"je m'en vais" : verbe s'en aller. *(tu t'en vas, il s'en va, on s'en va, nous nous en allons, vous vous en allez, ils s'en vont).* À l'impératif : *va-t'en, allons-nous-en, allez-vous-en.*

Indicatif présent : "Que voulez-vous ? ", "Y a pas de pâté.", "Je m'en vais", "Ce restaurant n'est pas sérieux."

Impératif : "Asseyez-vous ! " (au singulier : "assieds-toi ! ").

Phonétique

"Je m'en vais" : se prononce [ʒəmãvɛ] en français soutenu. Dans la chanson comme dans la pratique courante, le "e" disparaît : [ʒmãvɛ]. (Notons que dans cette contraction le son [ʒ] ne subit pas de modification, ce qui n'est pas toujours le cas. *Exemple :* "Je suis là" [ʒəsɥila] devient [ʃsɥila].

"Y a pas d'poulet" : [japadpulɛ] est la prononciation courante de "Il n'y a pas de poulet" [ilnijapadəpulɛ].

Certains "e" dans la chanson sont prononcés pour des raisons musicales, alors que dans la pratique courante ils sont muets.

Y a pas d**E** riz   Y a pas d'riz
Y a pas d**E** fruit   Y a pas d'fruit

Analyse stylistique

Cette chanson est conçue sous la forme d'un dialogue dans lequel une cliente passe une suite de commandes que le serveur ne peut satisfaire. Finalement, elle décide de partir sans oublier de donner son avis sur ce restaurant peu recommandable.

II. Les activités

1. Objectifs et niveaux

Activités	Objectifs	Niveaux
1	Reconnaissance des sons [f] et [v].	1
2	Opposition [f]/[v].	1-2
3	Acquisition des structures : "Il y a /il n'y a pas + article partitif ".	1
4	Contrôle de la compréhension du lexique et des structures précédentes.	1
5	Emploi des articles partitifs.	1
6	Extension du lexique des aliments et utilisation des structures : "il y a/ je voudrais/voilà" + partitif + nom d'aliment.	1
7	Reconnaissance des intonations de colère, satisfaction, surprise et déception.	1
8	Utilisation des différentes intonations.	1
9	Idem	1
10	Mise en scène de la chanson.	1
11	Jeu de rôle reprenant les objectifs précédents.	1-2

2. Déroulement

Activité 1 : Pigeon-vole (règle p. 13)

Cette activité se pratique avec le son [v] contenu dans les mots de la chanson : *asseyez-vous, voilà, voulez-vous, je m'en vais, au revoir* et avec le son [f] contenu dans les mots suivants : *fou, il fait froid, la foire, feu, fruit, France,* etc.

Activité 2 : Découpage

Classement de mots contenant les sons [v] et [f] : les enfants découpent dans des catalogues des reproductions d'objets (qu'ils savent déjà nommer). Le nom de ces objets doit contenir les sons [v] et/ou [f]. Ensuite, les enfants classent les images.
Remarque : à partir d'un polycopié, le professeur peut reprendre cette activité en travail individuel.

Activité 3 : Jeu du serveur

a. Sur une table sont disposés quelques aliments ou dessins (cartes du jeu de familles, cf. activité 4). Le professeur les nomme en utilisant la structure : "Il y a + partitif + aliment", et les fait répéter à la classe.
Puis il enlève quelques aliments ou dessins et demande : "Il y a + article partitif + aliment ? ". Le professeur donne la réponse : "Non, il n'y a pas de...". Reprendre cette phase en interrogeant les élèves.
Remarque : le professeur peut choisir les structures "il y a" et "il n'y a pas" (français soutenu) ou "y a" et "y a pas" (français courant).
b. La classe est divisée en 2 groupes. La table est cachée aux élèves. Le professeur ôte discrètement quelques aliments. Un serveur de chaque équipe est placé à côté de la table (il voit les aliments).
Un élève du groupe A demande : "Il y a + article partitif + aliment ? ". Si le serveur de l'équipe A répond : "Oui, il y a + article partitif + aliment demandé", l'équipe A marque 1 point. Si le serveur répond "Non, il n'y a pas de...", l'équipe ne marque pas de point.
C'est au tour de l'équipe B de poser la question.
La formulation des questions et des réponses doit être correcte, sinon l'équipe passe son tour.
Remarque : changer régulièrement les serveurs et les aliments présentés.
Variante : on peut remplacer la structure "Il y a... ? " par "Je voudrais + partitif + aliment".

Activité 4 : Il y a ou il n'y a pas ? (cahier d'activités p. 20 et cassette)

Les élèves écoutent le document sonore. S'ils entendent la structure "il y a...", ils colorient l'aliment cité. S'ils entendent "il n'y a pas de...", ils barrent d'une croix l'aliment.

Activité 5 : Jeu de mémoire (cahier d'activités p. 21 et règle p. 13)

a. Le professeur présente les images, nomme et fait répéter le lexique avec l'article partitif correspondant : **de la** glace, **de la** salade, **de la** limonade, **du** rôti, **du** jambon, **de la** viande, **du** café, **de** l'eau, **du** pain, **du** gâteau, **des** frites, **des** haricots, **des** saucisses, **des** carottes.
b. Dans leur cahier, les élèves découpent les images, puis se groupent par deux. Ils jouent au jeu de mémoire en utilisant les structures "je voudrais du/de la/des/de l' + aliment".

Activité 6 : Jeu de familles (cahier d'activités p. 23 et règle p. 15)

a. Par des jeux de répétition, de mémoire ou de Kim, etc., le professeur présente les aliments apparaissant sur les cartes du jeu ainsi que les catégories auxquelles ils appartiennent : boissons, desserts, légumes et viande.

b. Par groupe de 3, les élèves se distribuent les 20 cartes de la planche. Les élèves jouent au jeu de familles en réalisant des dialogues du type :

- il y a des desserts ?
- oui (si non, c'est au joueur suivant de poser une question).
- alors, je voudrais des bananes.
- voilà des bananes.

Remarque : la formulation de la réponse est jugée par le groupe. Si elle est correcte, l'élève peut poser à son tour une question.

Activité 7 : Surprise, déception, satisfaction ou colère (cahier d'activités p. 20 et cassette)

a. Le professeur présente au tableau 4 visages (A, B, C, D) correspondant aux intonations de surprise, de colère, de satisfaction et de déception. Il fait écouter les 4 séquences suivantes :

- Il n'y a pas de pâté ! (surprise)
- Oh non...! Il n'y a pas de poulet. (déception)
- Ah ! Il y a des fruits ! (satisfaction)
- Alors, je m'en vais ! Au revoir Monsieur. (colère)

À la seconde écoute de chaque énoncé, un élève vient associer la phrase au visage correspondant.

b. Même démarche en travail individuel sur le cahier avec les 8 séquences suivantes enregistrées sur la cassette :

1. Quoi ! Il est encore en retard ! (surprise)
2. Il neige en juillet ! (surprise)
3. Ah ! enfin vous voilà ! (satisfaction)
4. Tu as encore une mauvaise note aujourd'hui ! (colère)
5. Dommage, il ne peut pas venir ! (déception)
6. Hum, de la glace ! (satisfaction)
7. Vous êtes déjà là ! (surprise)
8. Oh...! Tu as déchiré ta robe ! (déception)

Sous chaque visage, les élèves inscrivent le numéro de la séquence.

Activité 8 : Jeu d'intonation

Le professeur présente (face cachée) des cartes sur lesquelles figurent un visage exprimant la satisfaction, la surprise, la déception ou la colère. Il dit une phrase courte avec une intonation neutre. La classe la répète. Un élève tire une carte-visage au hasard et doit prononcer la même phrase avec l'intonation correspondant à sa carte.

Variante : le professeur réutilise les phrases de l'activité 7 ou propose d'autres énoncés. *Exemple :* "Il n'y a pas de + aliment ! " (pour les intonations de colère, déception et surprise), "Ce + aliment + est + excellent" (satisfaction), "Alors je m'en vais" (colère), etc.

Activité 9 : Colère, surprise au restaurant (cahier d'activités p. 25)

a. Le professeur fait observer la page comprenant :
- les 5 situations du restaurant permettant d'utiliser les intonations neutre, de colère ou de surprise dans des phrases négatives (bulle barrée) ou affirmatives.
- la carte des aliments (de A à L).

b. Chaque élève choisit une situation et un aliment. *Exemple :* 2 (phrase négative avec intonation de colère) et "H" (rôti).

Le professeur appelle un élève qui prononce sa phrase face à la classe. Les autres élèves doivent retrouver la situation.

Celui qui a répondu le premier peut dire sa phrase.

Activité 10 : Mise en scène

Lorsque la chanson est mémorisée, les élèves se placent par couples (à côté d'une chaise), ils chantent en suivant les indications scéniques suivantes :

Bonjour Madame,	le serveur serre la main de la cliente.
Asseyez-vous.	il lui montre la chaise, la cliente s'assied.
Voilà la carte,	le serveur présente un livre ouvert.
Que voulez-vous ?	et mime l'action d'écrire quelque chose sur son carnet de commande.
Y a du pâté ?	la cliente : main gauche à plat symbolisant une tranche de pain, la main droite mime l'action du couteau qui étale le pâté sur le pain.
Y a pas de pâté.	le serveur : mouvement de l'index levé marquant la négation.
Y a pas de pâté	la cliente : poings sur les hanches, coudes écartés, grimace d'indignation.

Pour les autres aliments, reprendre les mouvements proposés dans la rubrique "gestes".

Dans l'avant-dernière strophe, la cliente et le serveur chantent en même temps. La cliente reprend les gestes imitant les aliments et le serveur reprend les gestes de la négation.

Alors je m'en vais,	la cliente se lève et fait un signe d'adieu.
Au revoir Monsieur,	elle sert la main du serveur.
Ce restaurant	elle montre la salle,
n'est pas sérieux.	et du doigt exprime la négation.

Activité 11 : Jeu de rôle : Au restaurant

Reprendre les paroles de la chanson sous la forme parlée et changer les noms d'aliments. Les élèves improvisent gestes et paroles (en réutilisant le lexique et les intonations abordés dans les activités précédentes).

Exemple de dialogue possible :

- *Bonjour Madame, asseyez-vous.*
  Voilà la carte, que voulez-vous ?
- *Je voudrais des pommes de terre, de la viande.*
- *Voilà des pommes de terre et de la viande.*
- *Merci Monsieur.*
- *Bon appétit.*
  etc.

Le clown

I. La chanson

1. Le texte

Paroles : V. Heuzé assisté de J.C. Delbende
Musique : V. Heuzé
Arrangements : M. "Jason" Richard

Avec mon gros nez tout rond,
Ma chemise, mon pantalon,
Mes chaussures et mon violon,
Mon joli chapeau melon,
Je saute au plafond,
Bing bong.

Avec ton gros nez tout rond,
Ta chemise, ton pantalon,
Tes chaussures et ton violon,
Ton joli chapeau melon,
Tu sautes au plafond,
Bing bong.

Avec son gros nez tout rond,
Sa chemise, son pantalon,
Ses chaussures et son violon,
Son joli chapeau melon,
Il saute au plafond,
Bing bong.

2. La musique

3. Remarques pour l'apprentissage

La contrebasse donne la pulsation. L'attaque du chant est précédée d'une introduction (roulement de tambour, coup de cymbale, trois notes de contrebasse, deux mesures de saxophone) et commence après le quatrième temps de la deuxième mesure de saxophone.
Après chaque phrasé chanté, on fera remarquer la réponse du saxophone.
Dans la version instrumentale, le chant est guidé par la trompette.

La cassette	la classe	
	écoute	chante
Version originale	x	
"À vous d'apprendre maintenant, attention, écoutez bien !"	x	
Introduction + couplet 1 : version originale "Avec mon gros nez tout rond → bing, bong."	x	
Version instrumentale de ce passage		x
"Et maintenant, suivez bien la trompette ! "	x	
Version instrumentale de ce passage		x
"Et maintenant, à vous de chanter, tout seul, toute la chanson ! "	x	
Version instrumentale intégrale		x

4. Les gestes

Avec mon gros nez	index sur le nez.
tout rond,	mouvement circulaire de l'index autour du nez.
Ma chemise,	montrer sa chemise en la pinçant entre 2 doigts.
mon pantalon,	idem en pinçant le pantalon au niveau des coutures.
Mes chaussures	pieds écartés à la manière de Charlot, montrer ses chaussures.
et mon violon,	mimer un violoniste.
Mon joli chapeau melon,	mimer la forme arrondie avec les mains au-dessus de la tête.
Je saute au plafond,	sauter très haut.
Bing bong.	faire deux bonds en avant.

5. Analyse

Vocabulaire

Stéréotypes du clown : gros nez rond, violon, chapeau melon.

"gros" : ici en opposition à **petit** et non à **maigre.**

"sauter au plafond" : sauter de joie.

"un chapeau melon" : chapeau d'homme en feutre rond et bombé ; on dit aussi "un melon".

Grammaire

"avec" : ne marque ici ni l'accompagnement *(je pars en vacances avec des amis)*, ni la manière *(il marche avec élégance)* mais introduit la description *(avec sa nouvelle coupe de cheveux, il paraît plus âgé)*.

Les adjectifs qualificatifs sont placés en règle générale **après** le nom qu'ils déterminent (ici, "un nez rond"). Certains se placent **avant** le nom : petit, grand, gros, joli, beau, vilain, bon, mauvais, vieux, etc.

Les pronoms personnels *je, tu, il* entraînent l'emploi des adjectifs possessifs correspondants :

je	mon, ma, mes
tu	ton, ta, tes
il	son, sa, ses

"tout" : adverbe précisant le sens de *rond* (= entièrement, complètement).

Analyse stylistique

Le texte commence par une longue énumération d'éléments descripteurs. L'emploi de la 1re personne du singulier met en évidence la personne qui parle : le chanteur est le clown . Dans le 2e couplet, un enfant décrit le clown en s'adressant à lui (il le tutoie). Dans le 3e couplet, des enfants décrivent le clown (utilisation de la 3e personne du singulier).

II. Les activités

1. Objectifs et niveaux

Activités	Objectifs	Niveaux
1	Discrimination, puis mise en opposition des sons [o]/[ɔ̃] dans une comptine.	1
2	idem avec les sons [ʃ]/[ʒ].	1
3	Reconnaissance auditive des mots et des structures contenus dans la chanson.	1
4	Acquisition du lexique : *le nez, la chemise, le pantalon, les chaussures, le violon, le chapeau.* Acquisition des structures : "qu'est-ce que c'est ? ", "c'est un(e)/des... ? ", "c'est un(e)/des..."	1 1

Activités	Objectifs	Niveaux
5	Acquisition de la structure : déterminant + substantif + est + adjectif de couleur.	2
6	Réemploi du lexique contenu dans la chanson.	1
7	Acquisition des structures : "qu'est-ce qu'il manque ? ", "il manque..."	1
8	Acquisition des formes : Le clown + a + déterminant + substantif Le clown n'a pas de + substantif	1 1
9	Compréhension des pronoms *je, tu, il* et des adjectifs possessifs *mon, ma, mes, ton, ta, tes, son, sa, ses.*	1
10	Acquisition des adjectifs possessifs ci-dessus.	1
11	Acquisition des structures : Mon/ma/mes + substantif + est/sont + couleur. Ton/ta/tes + substantif + est/sont + couleur ?	2 2
12	idem	2

2. Déroulement

Activité 1 : Pigeon-vole : Léo et Léon (cahier d'activités p. 27 et règle p. 13)

a. Le professeur prononce le son [o] et le fait répéter en chœur puis individuellement.
b. Il dit lentement la comptine suivante :
> *Léo , le pige**on***
> *Perché sur m**on** dos*
> *Déchire m**on** chap**eau***
> *L**éo**n, le corb**eau***
> *Posé sur t**on** front*
> *Arrache t**on** mel**on***

Chaque fois que les enfants reconnaissent le son [o] *(dos, chapeau, corbeau)* ils lèvent la main.
c. Même démarche avec [ɔ̃] : *pigeon, mon, son, ton.*
d. Reprendre *b* et *c* en utilisant la chanson comme support. Mots contenant le son [o] : *gros, chaussure, violon, joli, chapeau, saute, au,* et ceux contenant le son [ɔ̃] : *mon, rond, pantalon, violon, melon, plafond, ton, son.*
e. Le professeur présente les uns après les autres les dessins du cahier d'activités (Léo et Léon). Les élèves colorient en jaune les éléments dont le nom contient le son [o] et en marron ceux contenant le son [ɔ̃].

Activité 2 : Pigeon-vole : Jolie girafe (cahier d'activités p. 27)

Même démarche que dans l'activité 1 pour les sons [ʒ] et [ʃ] en utilisant les mots suivants : *une chemise, un chapeau, des chaussures, un chameau, un chat, un chien, une joue, une girafe, un pigeon, un banjo, une orange, du jambon* et en utilisant la comptine :

> *Une **g**irafe,*
> *Jolie, **j**olie,*
> *Joue du ban**j**o.*
> *Sol la si do.*
> *Un petit **ch**at,*
> *Joli, **j**oli,*
> ***Ch**erche le do.*
> *Sol la si do.*

Remarque : les élèves colorient en rouge les éléments dont le nom contient le son [ʒ] et en vert ceux contenant le son [ʃ].

Activité 3 : Pigeon-vole : gros nez ou beau nez ? (règle p. 13)

Avec les mots et les structures de la chanson.
a. L'enseignant propose un mot tiré de la liste suivante : *rond, joli, chameau, chaussure, plafond, chapeau, nez, pantalon, violon, chose,* etc. Les élèves fredonnent la mélodie (la la la) chaque fois qu'ils reconnaissent un mot contenu dans la chanson.
b. Idem avec les structures suivantes : *avec mon gros nez tout rond, avec mon beau nez tout rond, ma jeune fille mon pantalon, ma chemise mon pantalon, mais j'assurais mon violon, mes chaussures et mon violon, mon joli chameau melon, mon joli chapeau melon, je saute au plafond, je sonde au plateau.*
Remarque : selon le niveau, les enfants peuvent proposer eux-mêmes des mots ou des structures à repérer.

Activité 4 : Description d'un clown

a. Le professeur reconstitue au tableau un clown composé de différentes parties. L'une après l'autre, il les montre, les nomme et fait répéter le lexique aux enfants. Puis il invite un élève au tableau pour qu'il désigne les différentes parties du clown (le chapeau, un visage avec un gros nez rouge, une chemise, un pantalon, des chaussures, un violon).
Remarque : selon le niveau, décomposer le clown en de plus nombreuses parties (éléments du visage, éléments vestimentaires).
b. Le professeur (puis un élève) montre des dessins représentant une des parties du clown et demande : "Qu'est-ce que c'est ?" Les autres répondent en utilisant la structure : "c'est un + élément du clown".
c. Le professeur (puis un élève) tient un dessin d'une partie du clown, face cachée, et fait deviner à la classe ce dont il s'agit : "C'est un...?", "Qu'est-ce que c'est ?". L'élève qui a trouvé la bonne réponse prend la place du meneur de jeu.

Activité 5 : Découpage et coloriage (cahier d'activités p. 29)

Le professeur donne les consignes pour le découpage (éventuellement en langue maternelle), puis pour le coloriage du clown (*exemples* : la chemise est orange, le chapeau est vert, les chaussures sont noires, le violon est gris, etc.). Pendant ou après le coloriage, les élèves réutiliseront ces mêmes structures pour décrire leur clown.
Remarques : cette activité nécessite un travail préalable sur les couleurs.
En fonction du niveau de la classe, le professeur pourra utiliser des adjectifs variant phonétiquement au féminin (*exemples* : [vɛr]/[vɛrt], [gRi]/[gRiz], etc.).

Activité 6 : Jeu de dé (cahier d'activités p. 29)

Nombre de joueurs : 2 ou plus.
Matériel : un gros dé par groupe.
Chaque joueur utilise les six parties de son clown (cf. activité 5) qu'il place en tas à côté de lui.
But du jeu : être le premier à avoir reconstitué son clown.
À tour de rôle, chaque joueur lance le dé et prend la partie du clown correspondant au nombre indiqué par le dé. Il la nomme puis donne le dé au joueur suivant. Si le dé indique une partie qu'il possède déjà, le joueur passe son tour.
Variante : on peut reconstituer le clown en suivant l'ordre croissant des nombres de 1 à 6.

Activité 7 : Jeu de Kim (règle p. 14)

Le professeur (puis un élève) dispose devant lui les différentes parties du clown (clown découpé dans l'activité 5).
Les élèves ferment les yeux pendant que le professeur ôte un élément. Après une courte observation, les élèves répondent à la question : "Qu'est-ce qu'il manque ? " par : "Il manque..." suivi du nom de l'objet disparu.
Remarque : bien que la tournure "Il manque..." n'appartienne pas au français fondamental, elle est introduite ici car elle est couramment utilisée pour réviser un lexique déjà acquis.

Activité 8 : Pas de chemise (cahier d'activités p. 28)

a. Deux clowns différents sont dessinés au tableau, l'un complet, l'autre sans nez, sans chapeau, sans chaussures, etc. Le professeur indique une partie du clown complet et dit : "Le clown a un + nom." Les élèves répètent et réemploient cette structure avec les autres éléments du costume du clown. Même démarche avec l'autre clown en utilisant la structure : "Le clown n'a pas de..."
Variante : un élève efface une partie d'un clown complet, et la classe dit : "Le clown n'a pas de..."
Remarque : on peut employer le pronom "il" à la place de "le clown."
b. Les élèves observent la page. Le professeur (puis un élève) choisit un des clowns et le décrit en utilisant des structures du type "il a un(e)/des.../il n'a pas de...". La classe doit retrouver la figurine choisie. Le premier joueur qui trouve devient meneur de jeu.

Activité 9 : La chanson

a. Reprendre la chanson en utilisant les gestes proposés pour le couplet 1.
b. Pour le couplet 2, le professeur parle à un élève placé en face de lui et désigne ses habits, accessoires et parties du corps, en utilisant les adjectifs possessifs "ton, ta, tes". Ensuite, les chanteurs/ clowns sont placés 2 par 2, face à face et chantent le couplet 2 en reprenant les gestes du professeur.
c. De même pour le couplet 3, mais cette fois le professeur s'adresse aux spectateurs en utilisant les adjectifs "son", "sa", "ses".

Activité 10 : L'objet trouvé

Le professeur collecte des objets lui appartenant ainsi qu'aux enfants de la classe et les met dans un grand sac.
Il les propose ensuite en demandant qui en est le propriétaire.
a. Il commence par ses objets personnels :
Professeur : "C'est ton livre ? "
Élève : "Non."
Professeur : "C'est mon livre."
(idem avec d'autres objets appartenant au professeur).
b. Il présente des objets appartenant aux enfants :
Professeur : "C'est ton stylo ? "
Élève : "Oui, c'est mon stylo."

c. Un élève prend la place du professeur et engage le dialogue.

Remarque : selon le niveau des élèves, on pourra poursuivre au cours d'autres séances avec *ma/mes, ta/tes, son/sa/ses,* etc.

Activité 11 : Portrait-robot (cahier d'activités p. 31)

Un enfant, face à la classe, tient cachée une image représentant un clown en couleur. Il doit décrire le clown en utilisant la première personne : "Mon pantalon est + couleur."

Dans son cahier, chaque élève colorie sa silhouette en suivant les indications données par le meneur de jeu.

Vérifier ensuite que les portraits réalisés sont identiques à celui caché par le meneur de jeu.

Variante : même but de jeu, mais c'est la classe qui questionne le meneur de jeu :

"Ton chapeau est noir ? "

"Oui/non."

Activité 12 : Déguisement (cahier d'activités p. 31)

Matériel fabriqué ou apporté par les enfants : 3 chapeaux, 3 pantalons, 3 chemises, 3 nez de couleurs différentes. Derrière un paravent, 3 élèves qu'on appellera respectivement Pipo, Zipo et Aldo se déguisent.

À tour de rôle, les 3 élèves dissimulés se nomment et donnent un détail vestimentaire.

Exemple :

Élève 1 : "Je m'appelle Zipo,ma chemise est jaune."

Élève 2 : "Je m'appelle Pipo, ma chemise est bleue."

Pendant ce temps, les autres élèves colorient, dans leur cahier, la silhouette correspondant à chaque clown. Quand la description et le coloriage sont terminés, chaque clown apparaît et reformule sa description intégralement.

Exemple : "Je m'appelle Zipo, ma chemise est jaune, mon pantalon est vert, mon chapeau est rouge, mon nez est bleu et je saute au plafond." (Il achève sa phrase par un saut.)

Je t'aime bien

I. La chanson

1. Le texte

Paroles et musique : V. Heuzé
Arrangements : M. "Jason" Richard

Moi, j'adore les motos,
Le skate, les jeux vidéo.
J'aime les sciences et le piano.

Refrain
Dans la classe, tu es si loin.
Dans la cour, il y a les copains.
Mais tu sais je t'aime bien.

Moi, j'adore la lecture,
La musique et la nature.
J'aime la danse et la peinture.

Moi, je veux être musicien,
Professeur ou bien médecin,
Chanteur ou mécanicien.

Et moi, je veux être artiste,
Être peintre ou bien flûtiste,
Écrivain ou journaliste.

2. La musique

3. Remarques pour l'apprentissage

Pour le chant, on fera remarquer l'accord de guitare précédant le morceau de flûte suivant :

En effet, pour l'attaque de chaque couplet, il suffit de laisser passer trois temps après cet accord. Pour l'attaque du refrain, on laisse passer deux temps.
Cette chanson est un duo. Le professeur peut constituer deux groupes (garçons et filles).

Pour la version segmentée sur la cassette, le découpage ne correspond pas à l'ordre de la version originale. En effet, nous proposons d'abord l'apprentissage du couplet 1 par les garçons, puis du couplet 2 par les filles avant d'entreprendre l'apprentissage du refrain (garçons et filles).

La cassette	la classe	
	écoute	chante
Version originale	x	
"Les garçons vont chanter le 1er couplet, attention, écoutez bien ! "	x	
Introduction + couplet 1 : version originale	x	
"À vous les garçons ! "	x	
Introduction + couplet 1 : version instrumentale		x
"Les filles vont chanter le 2e couplet. D'abord, écoutez bien ! "	x	
Couplet 2 : version originale	x	
"Maintenant, à vous de répéter, les filles, suivez bien le piano ! "	x	
Couplet 2 : version instrumentale		x
"Pour le refrain, les filles et les garçons, vous allez chanter ensemble. D'abord, écoutez ! "	x	
Refrain : version originale	x	
"Maintenant, à vous de chanter, et bien ensemble ! "	x	
Refrain : version instrumentale		x
"Maintenant, à vous de chanter toute la chanson. D'abord les garçons, puis un refrain tous ensemble, puis les filles, etc."	x	
Version instrumentale intégrale		x
Activité d'écoute : "Mon copain Christophe"	x	
Activité d'écoute : "Effeuiller la marguerite"	x	

4. Les gestes

Moi, j'adore	la main à plat sur le cœur.
les motos,	les mains tiennent un guidon imaginaire.
le skate,	la main à plat imite le slalom d'une planche à roulettes, terminer le geste poing fermé.
les jeux vidéo.	mouvement du pouce (= pression d'un bouton).
J'aime les sciences	coller l'œil à un microscope formé par les 2 mains.
et le piano.	jouer d'un piano imaginaire.
Dans la classe,	l'index désigne la classe.
tu es si loin.	les mains, jointes devant soi, s'éloignent l'une de l'autre.
Dans la cour,	le doigt montre la cour.
il y a les copains.	puis désigne plusieurs enfants.
Mais tu sais je t'aime bien.	poser la main sur le cœur.
Moi, j'adore	la main à plat sur le cœur.
la lecture,	les mains ouvertes en forme de livre.
la musique	mimer l'action de jouer de la flûte.
et la nature.	mimer l'action de cueillir une fleur.
J'aime la danse	les bras en arrondi au-dessus de la tête.
et la peinture.	mimer l'action de peindre une toile.
Moi, je veux être musicien,	jouer d'un piano imaginaire.
Professeur	écrire à la craie sur un tableau imaginaire.
ou bien médecin,	prendre son pouls au niveau du poignet.
chanteur	tenir un micro imaginaire.
ou mécanicien.	une main mime l'action de serrer un boulon.
Et moi,	se montrer de l'index.
je veux être artiste,	faire une révérence ou saluer.
Être peintre	mimer l'action de peindre une toile.
ou bien flûtiste,	mimer l'action de jouer de la flûte.
Écrivain	écrire sur la paume de sa main.
ou journaliste.	mimer avec les 2 mains le contour d'un téléviseur autour de sa tête.

5. Analyse

Vocabulaire

"j'aime beaucoup", "j'adore" : expression du goût. Du plus faible au plus fort : j'aime un peu, j'aime bien, j'aime, j'aime beaucoup, j'aime passionnément, j'adore, j'aime à la folie.
Pour exprimer son amitié envers quelqu'un, on dit plutôt *"je t'aime bien"* et pour exprimer son amour, on dit *"je t'aime"*.

"le skate" : ou skateboard, mot anglais utilisé pour désigner la planche à roulettes.

"les jeux vidéo" : jeux informatiques sur écran, guidés par une manette (ou joystick) et une console d'ordinateur.

"les copains" : (féminin : copine). Synonyme familier du mot camarade ou ami.

"la classe" : il s'agit ici de la salle de classe.

"tu sais" : élément langagier qui a pour but de capter l'attention de l'interlocuteur. Il est très utilisé dans la langue parlée. Il n'a pas le sens de savoir. (On utilise aussi *"tu vois."*)

"je veux être + métier" : pas d'article avant le nom de métier. Idem pour "je suis + métier" (je suis professeur).

Grammaire

"si" : adverbe de quantité qui marque ici l'importance de l'éloignement des 2 enfants.

genre des noms de métiers :
un musicien, une musicienne, un chanteur, une chanteuse,
un/une artiste, un/une flûtiste, un/une journaliste,
un médecin, un peintre, un mécanicien, un écrivain (ces mots n'ont pas de féminin).

Phonétique

Certains "e" de la chanson sont prononcés pour des raisons musicales alors que dans la pratique courante, ils sont muets :

Chanson		Langue courante	
j'adorE	[ʒadɔRə]	j'ador'	[ʒadɔR]
je t'aimE bien	[ʒətɛməbjɛ̃]	je t'aim' bien	[ʒətɛmbjɛ̃]
		j't'aim'bien	[ʒtɛmbjɛ̃]
jE veux être	[ʒəvøɛtr]	j'veux êtr'	[ʒvøɛtR]

"médecin" : est toujours prononcé [metsɛ̃].

"Il y a les copains" : dans la chanson, comme dans la langue courante, est prononcé : "y a les copains" [jalekɔpɛ̃].

Analyse stylistique

Cette chanson est un dialogue entre un garçon et une fille qui expriment leurs goûts personnels (couplets 1 et 2) et évoquent les métiers dont ils rêvent (couplets 3 et 4). Malgré leurs différences de goûts et de projets, malgré la présence des copains et bien qu'ils soient séparés dans la classe, ils éprouvent beaucoup d'affection l'un pour l'autre (refrain).

II. Les activités

1. Objectifs et niveaux

Activités	Objectifs	Niveaux
1	Discrimination des rimes.	1
2	Reconnaissance du son [ɛ̃].	1
3	Acquisition des structures "j'aime bien", "j'aime beaucoup", "j'adore", "je n'aime pas".	1
4	Idem avec *il* ou avec un nom propre.	1
5	Contrôle de la compréhension des structures précédentes.	1
6	Extension du lexique exprimant les sentiments. Comptine.	2
7	Acquisition des noms de métiers et de la structure : "il/elle est + nom de métier".	1
8	Acquisition des structures : "tu es + nom de métier ? "oui, je suis + nom de métier".	1 1
9	Contrôle de l'acquisition des noms de métier et de la structure : "je suis + nom de métier".	1
10	Contrôle de l'acquisition des structures et du lexique contenus dans la chanson.	1

2. Déroulement

Activité 1 : Rimes

a. Le professeur fait écouter la chanson et demande à la classe de trouver le son final, commun aux trois vers de chaque couplet.
Remarque : on ne travaille pas sur le refrain.
b. Le professeur écrit au tableau un numéro correspondant à chaque couplet sous lequel il dessine un mot-clé : *(1) une moto, (2) une peinture, (3) un médecin, (4) un flûtiste*, puis il fait répéter le son final de chaque mot-clé.
c. Il propose un mot tiré de la liste suivante : *demain, une rature, une piste, une sculpture, rigolo, un linguiste, une voiture, un physicien, Pinocchio, un bassiste, une caricature, le métro, du pain, un rodéo, deux cent vingt, une liste, un comédien, les animaux, une aventure, un fleuriste.* Il demande aux élèves de trouver dans quel couplet ce mot pourrait trouver place.
Remarque : ce jeu peut se pratiquer en équipe. Chaque bonne réponse donne un point à l'équipe.

Activité 2 : Pigeon-vole (règle p. 13)

Le son [ɛ̃] contenu dans les mots suivants : *loin, copain, bien, peinture, musicien, médecin, mécanicien, peintre, écrivain.*

Activité 3 : J'aime ou je n'aime pas

Le professeur dessine au tableau la grille suivante en ne remplissant que la colonne de droite :

Il énonce les phrases suivantes qui sont ensuite répétées par les élèves :

"j'aime bien la glace"	(un cœur + une glace)
"j'aime beaucoup la flûte"	(deux cœurs + une flûte)
"j'adore la moto"	(trois cœurs + une moto)
"je n'aime pas le poisson"	(un cœur barré + un poisson)

Puis il présente d'autres dessins et demande à un élève de les placer dans la grille et d'exprimer son goût en réutilisant les structures ci-dessus.

Activité 4 : Il aime ou il n'aime pas (cahier d'activités p. 33)

a. Le professeur présente le lexique et le fait répéter.
b. À gauche de chaque dessin, l'élève exprime son goût en coloriant un, deux ou trois cœurs, ou en barrant le cœur d'une croix.
c. Dans une phase de mise en commun, le professeur élabore, à partir des réponses des élèves, un tableau à double entrée du type suivant :

	Nom d'un élève de la classe	Nom d'un élève de la classe	Nom d'un élève de la classe
	dessin	dessin	dessin
	dessin	dessin	dessin
	dessin	dessin	dessin
	dessin	dessin	dessin

L'utilisation de ce tableau débouche sur l'emploi des structures "Vincent/il aime bien le...", "Sophie/elle aime beaucoup le...", "Julien/il adore le...", "Marie/elle n'aime pas le...".

Activité 5 : Mon copain Christophe (cahier d'activités p. 33 et cassette)

Cet exercice est un exercice de compréhension globale : le professeur fait écouter le document sonore présentant les goûts d'un enfant prénommé Christophe. Dans leur cahier, les élèves dessinent à côté de chaque cadre un, deux ou trois cœurs ou un cœur barré, en fonction des goûts exprimés : "Christophe est un petit garçon, il aime bien la moto et le football. Il aime beaucoup la télévision. Il adore le skate et le piano. Mais... il n'aime pas le poisson et il n'aime pas la soupe. Ah oui, j'ai oublié, il adore le coca-cola".

Activité 6 : Effeuiller la marguerite (cahier d'activités p. 34 et cassette)

Apprentissage d'une comptine.
Ce jeu de hasard traditionnel des amoureux consiste à arracher un à un les pétales d'une marguerite (cueillie ou fabriquée en classe), en exprimant, à chaque pétale arraché, le degré de sentiment éprouvé envers son partenaire. Au 1er pétale, l'élève dit à son partenaire "je t'aime", au 2e, "un peu", au 3e, "beaucoup", au 4e, "passionnément", au 5e, "à la folie", au 6e "pas du tout", au 7e, il recommence ("je t'aime", etc.). La formule obtenue au dernier pétale est sensée exprimer le sentiment de l'élève pour son partenaire !

a. Apprentissage de la comptine (avec les gestes)

1er pétale	je t'aime	mettre la main sur le cœur.
2e pétale	un peu	indiquer une petite quantité avec le pouce et l'index.
3e pétale	beaucoup	indiquer une quantité plus grande en écartant les mains.
4e pétale	passionnément	indiquer une grande quantité en écartant les bras.
5e pétale	à la folie	faire tourner l'index sur la tempe.
6e pétale	pas du tout	signe de négation avec l'index.

b. Jeu de dés
Les élèves se mettent par couple. Les deux joueurs placent leur jeton sur un des pétales. Le premier lance le dé et déplace son jeton, de pétale en pétale, selon le nombre indiqué. Sur chaque pétale, il prononce un vers de la comptine. *Exemple :* s'il fait "3", l'enfant dira : "Je t'aime" (sur le 1er pétale), un peu (sur le 2e), beaucoup (sur le 3e)". Le premier joueur à faire "6" dit la comptine entièrement. S'il la dit correctement, il marque un point.

Activité 7 : Mime des métiers (cahier d'activités p. 35)

a. Le professeur montre des cartes-dessins représentant des métiers (voir modèle dans le cahier d'activités). Pour chacune, il énonce "Il/elle est + métier" et les élèves répètent : "elle est journaliste/flûtiste/écrivain, etc.", "il est médecin/ mécanicien/musicien, etc."
b. Le professeur montre discrètement une carte à un élève. Ce dernier mime le métier que les autres doivent découvrir. Celui qui trouve doit utiliser la structure "Il/elle est + métier" et exécuter le mime suivant.

Activité 8 : Jeu d'association (cahier d'activités p. 35)

a. Le professeur distribue des dessins d'objets correspondant aux métiers cités dans la chanson (voir cahier d'activités). Le professeur (puis un élève) demande à un enfant : "tu es médecin ? tu es mécanicien ?, etc." jusqu'à ce que l'élève interrogé réponde "oui, je suis + métier".
b. *But du jeu :* les élèves ayant le même métier doivent se grouper par 2 (le possesseur d'une carte-objet avec le possesseur d'une carte-métier).
Chaque élève reçoit une carte représentant un métier ou un objet (et la cache), puis se déplace dans la classe pour retrouver son partenaire en posant la question "Tu es + métier ?". Le premier couple reconstitué a gagné.
Remarques : on peut limiter le jeu à la durée de la chanson qui passe en fond sonore.
Il n'est pas nécessaire que les élèves connaissent le nom des objets présentés.

Activité 9 : Jeu de mémoire (règle p. 13 et cahier d'activités p. 35)

Les élèves découpent les cartes de leur cahier. Le but du jeu est de reconstituer les paires.
Exemple : le chanteur + le micro ou le peintre + le pinceau, etc.
Pour emporter une paire, l'enfant doit nommer la carte métier en disant "je suis + nom de métier".

Activité 10 : Bande dessinée (cahier d'activités p. 37 et cassette)

Les élèves découpent les vignettes placées sous les bulles. Ils écoutent la chanson, couplet par couplet. Ils placent dans les bulles les dessins correspondant à chaque couplet. Le professeur demande à un élève de dire la chanson en "lisant" ce qu'il a placé sur son cahier. Une nouvelle écoute permet la vérification.

En voiture

I. La chanson

1. Le texte

Paroles : V. Heuzé assisté de J.C. Delbende
Musique : V. Heuzé
Arrangement s : M. "Jason" Richard

Plus vite, chauffeur,
Plus vite, chauffeur, ⎫
Plus vite, chauffeur, ⎬ *(bis)*
Plus vite ! ⎭

Mon papa est devant,
"Ferme les yeux, maman !"
Derrière, il y a mon grand-père,
Ma petite sœur et ma grand-mère.

Plus vite, chauffeur,
Plus vite, chauffeur, ⎫
Plus vite, chauffeur, ⎬ *(bis)*
Plus vite ! ⎭

Pépé a mal au cœur,
Ma mémé a très peur,
Ouin, ouin, ouin,
ma petite sœur pleure,
Moi, je chante :"Plus vite, chauffeur".

Plus vite, chauffeur,
Plus vite, chauffeur, ⎫
Plus vite, chauffeur, ⎬ *(bis)*
Plus vite ! ⎭

La famille est malade,
Va moins vite, on regarde
Les jolis bateaux sur l'eau,
Les maisons et les oiseaux.

Moins vite, chauffeur,
Moins vite, chauffeur, ⎫
Moins vite, chauffeur, ⎬ *(bis)*
Moins vite ! ⎭

2. La musique

55

3. Remarques pour l'apprentissage

Il y a quatre mesures d'introduction. L'attaque des refrains et des couplets se fait juste après un temps d'arrêt marqué par les instruments. Le tempo de la chanson ralentit à partir du troisième couplet ("la famille est malade...") jusqu'à la fin de la chanson.

La cassette	la classe	
	écoute	chante
Version originale	x	
"À vous d'apprendre maintenant, attention, écoutez bien ! "	x	
Introduction + refrain (version originale)	x	
"À vous de chanter maintenant ! "	x	
Introduction + refrain (version instrumentale)		x
"Et voilà la suite ! "	x	
Plus vite chauffeur → ... grand-mère (version originale)	x	
"Allez, en route, c'est à vous ! "	x	
Version instrumentale de ce passage		x
"Allez en voiture, et faites le voyage tout seul ! "	x	
Version instrumentale intégrale		x

4. Les gestes

Plus vite, chauffeur, **Plus vite !**	frappés de mains en rythme.
Mon papa est devant,	poings serrés imitant l'action de tourner le volant.
"Ferme les yeux, maman ! "	mains sur les yeux.
Derrière,	poing levé au-dessus de l'épaule, le pouce indiquant l'arrière.
il y a mon grand-père,	geste des 2 mains mimant une grande moustache.
Ma petite sœur et	faire semblant de donner la main à un petit enfant.
ma grand-mère.	geste des doigts mimant une grand-mère en train de tricoter.

Pépé a mal au cœur,	buste penché en avant, les 2 mains sur le ventre, grimace de quelqu'un qui va vomir.
Ma mémé a très peur,	tremblement des mains et des bras indiquant la peur.
Ouin, ouin, ouin	frottement des yeux avec les 2 poings fermés.
ma petite sœur pleure,	les index descendent comme des larmes le long des joues.
Moi, je chante : **"Plus vite, chauffeur".**	mains de chaque côté de la bouche en porte-voix.
La famille est malade,	buste penché en avant, les 2 mains sur le ventre, grimace de quelqu'un qui va vomir.
Va moins vite,	léger mouvement vertical des 2 mains, paumes vers le sol, pour montrer l'action de ralentir.
on regarde	1 main au-dessus des yeux en forme de visière.
Les jolis bateaux sur l'eau	mouvement ondulant du bras et de la main imitant les vagues.
Les maisons	les 2 mains en forme de toit.
et les oiseaux.	mouvement des bras imitant les ailes.
Moins vite, chauffeur.	léger mouvement vertical des 2 mains, paumes vers le sol, pour montrer l'action de ralentir.

5. Analyse

Vocabulaire

"pépé","mémé": diminutifs affectifs donnés au grand-père et à la grand-mère dans le langage enfantin. Il peut être nom commun ("ma mémé a très peur") ou nom propre ("Pépé a mal au cœur"). On utilise aussi "papy" et "mamy" ou encore "pépère" et "mémère".

"ouin, ouin" : onomatopée suggérant les pleurs d'un enfant.

"mal au cœur" : être écœuré, avoir envie de vomir.

Grammaire

"plus vite", "moins vite" : comparatifs de supériorité et d'infériorité. Sous-entendu : "va plus/moins vite qu'avant " ou " plus/moins vite qu'un autre véhicule".

"devant", "derrière": adverbes de lieu. Synonymes : "à l'avant", "à l'arrière". Ils peuvent être employés devant un groupe nominal, ils sont alors prépositions *(Il est assis devant la télévision, le soleil est caché derrière les nuages)*.

"il y a" : tournure impersonnelle couramment utilisée dans les descriptions *(Il y a des arbres dans la cour)*, dans les énumérations *(Dans ma ferme, il y a des poules, des vaches et des cochons)*, dans les constatations *(Il y a un bon film ce soir à la télévision)*.

"mal" : élément de la locution verbale "avoir mal à". À ne pas confondre avec "mal", adverbe (contraire de "bien") dans *il joue mal du piano*.

"très" : adverbe. Il s'emploie devant des adjectifs *(très beau)*, des adverbes *(très lentement)* ou dans des locutions verbales *(avoir très peur)* pour former des superlatifs absolus.

"on" : plus fréquemment utilisé que le pronom "nous" (ayant le même sens). "On" est toujours sujet.

Conjugaison :

impératif : "ferme les yeux", ordre ou conseil donné à la mère, exprimant la crainte, l'inquiétude face au danger de la vitesse. Cette notion d'impératif est contenue dans l'expression "plus vite chauffeur" (voir ci-dessus).

Phonétique

"les oiseaux"   [lezwazo]
"un oiseau"   [œ̃nwazo]

Analyse stylistique

L'interprète de cette chanson pourrait être un petit garçon ou une petite fille, assis à l'arrière d'une voiture. Pendant le trajet, il décrit la situation, la place de chaque passager et les méfaits de la vitesse. Dans le refrain, il demande à son père de conduire plus vite. Dans le dernier couplet, voyant que la famille est malade et ne peut observer le paysage qui défile, il renonce à la vitesse et demande à son père de ralentir.

Civilisation

Le refrain "Plus vite chauffeur" est tiré d'une chanson du répertoire des centres de vacances que les enfants interprètent lors de déplacements en autocar.
En voici le texte intégral :

> *Chauffeur, si t'es champion*
> *Appuie, appuie*
> *Chauffeur, si t'es champion*
> *Appuie sur le champignon.*
> *Plus vite chauffeur,*
> *Plus vite chauffeur,*   *(bis)*
> *Plus vite.*

Remarque : "le champignon" signifie "la pédale d'accélérateur".

II. Les activités

1. Objectifs et niveaux

Activités	Objectifs	Niveaux
1	Reconnaissance et reproduction du son [œ].	1
2	Reconnaissance et reproduction du son [ã].	1
3	Acquisition du lexique de la famille : *le grand-père, la grand-mère, le père, la mère, le fils, la fille.*	1
4	Emploi du lexique des membres de la famille et emploi des adjectifs possessifs *mon* et *ma*.	1 2
5	Acquisition des structures suivantes : "je m'/il/elle s'appelle + nom + prénom" "je suis/il/elle est + adjectif de nationalité" "je suis/il/elle est né **à** + ville, **en/au** + pays" "j'ai/il/elle a + âge" "j'ai/il/elle a + x frère/sœur" Compréhension des structures interrogatives correspondantes.	1 2 2 1 1 1
6	Contrôle de la compréhension des structures précédentes.	1
7	Emploi des structures précédentes à la forme interrogative.	1
8	Acquisition des structures de localisation : *devant, derrière, entre.*	1
9	Compréhension de la structure : "Où est... ? " Emploi du lexique de la famille et des structures de localisation.	1
10	Idem	1

2. Déroulement

Activité 1 : Pigeon-vole : Plus vite chauffeur (règle p. 13 et cahier d'activités p. 40)

a. Reconnaissance du son [œ] dans la chanson *(chauffeur, sœur, cœur, peur, il pleure)* puis dans une liste de mots : **chanteur**, *chaussure*, **seul**, *porte*, **meurt**, *vieux*, **jeune**, **neuf**, *sort, voiture, père,* **grand-père**, **beurre**, *il dort*, **veuf**, **teuf-teuf**, *un* **œuf**, *un* **bœuf**, *des œufs, des bœufs,* **gueule**, etc.
b. Cahier d'activités.
Les structures suivantes sont lues par le professeur : un **cœur**, il **pleure**, une porte, une voiture, la petite **sœur**, un **chanteur**, il est vieux, un **œuf**, il dort, un **chauffeur**, **neuf**, une chaussure. Dans leur cahier, les élèves colorient les dessins représentant les mots contenant le son [œ]

Activité 2 : Pigeon-vole : Doucement Maman (règle p. 13 et cahier d'activités p. 40)

a. Reconnaissance du son [ã] dans la chanson *(devant, maman, grand-père, grand-mère, chante),* puis dans une liste de mots : **cent**, *pont, main, vingt, il* **danse**, *rond, le* **vent**, *mon, viens,* **banc**, **blanc**, **gentil**, **chanson**, *pain, vin,* etc.
b. Cahier d'activités
Les structures suivantes sont lues par le professeur : il **chante**, vingt, un **grand**-père, un pont, une **maman**, un pain, il **danse**, le **vent**, **cent**, le vin, un **banc**, un rond. Dans leur cahier, les élèves colorient les dessins représentant les mots contenant le son [ã].

Activité 3 : Jeu des 6 familles (règle p. 15 et cahier d'activités p. 41)

a. Le professeur présente les 6 cartes et le lexique des membres d'une famille : le grand-père, la grand-mère, le père, la mère, le fils, la fille.
Il choisit un thème et 6 familles.
Exemples : thème = les moyens de transport,
        familles = la voiture, le train, l'avion, le camion, le bus, la moto.
(autres thèmes possibles : les métiers, les fleurs, les couleurs, les animaux, etc.).
b. Les enfants se groupent par 3 et se répartissent les 6 familles (chaque élève choisit deux familles). Sur chaque carte-membre dessinée dans le cahier, ils dessinent l'objet représentant les familles choisies. *Exemple :* dans le thème "moyens de transport", si un enfant choisit la famille "voiture" et la famille "train", il devra dessiner les cartes suivantes : le grand-père "voiture", la grand-mère "voiture", le père "voiture", la mère "voiture", le fils "voiture", la fille "voiture" et le grand-père "train", la grand-mère "train", le père "train", la mère "train", le fils "train" et la fille "train".
c. Chaque élève découpe ses 12 cartes et les mélangent à celles des deux autres joueurs (qui ont des familles différentes). On distribue 7 cartes par élève. Le jeu peut alors commencer.

Activité 4 : L'arbre généalogique (cahier d'activités p. 43)

Le professeur dessine au tableau l'arbre généalogique proposé dans le cahier de l'élève.
a. Il y inscrit les noms, prénoms et âges des membres de sa famille : "Voici mon père, il s'appelle + nom, il a + âge". Il continue avec les autres membres de la famille.
b. Dans son cahier, chaque élève remplit l'arbre généalogique de sa propre famille (prévoir éventuellement un temps de recherche à la maison). Les élèves la présentent ensuite en réutilisant les structures ci-dessus.
Remarque : on peut coller une photo dans chaque case.

Activité 5 : La carte d'identité (cahier d'activités p. 43)

Le professeur dessine au tableau la carte d'identité proposée dans le livre de l'élève.
Signification des symboles : grand point d'interrogation pour le nom, petit point d'interrogation pour le prénom, drapeau pour la nationalité, berceau et globe pour le lieu de naissance, bougie pour l'âge.

a. Le professeur remplit la partie gauche de cette planche et la présente en utilisant les structures : "Je m'appelle + nom + prénom ; je suis + nationalité ; je suis né à + ville, + pays ; j'ai + âge". Ensuite, chaque élève remplit la moitié gauche de sa carte.

b. La classe est divisée en plusieurs groupes. S'adressant à tour de rôle à un élève de chaque groupe, le professeur pose une des questions suivantes : "Tu t'appelles comment ? Tu es de quelle nationalité ? Tu es né où ? Tu as quel âge ? ". L'élève répond en reprenant les structures ci-dessus. S'il répond correctement, son équipe marque un point.

c. Le professeur remplit ensuite la partie droite de la planche et la présente. Par exemple : "J'ai un frère, il s'appelle Hugues, il a 26 ans". Chaque élève fait de même sur sa carte.

d. Même démarche qu'en **b** avec les questions suivantes : "Tu as un frère/une sœur ? Il/elle s'appelle comment ? Il/elle a quel âge ? ", etc.

Remarque : les structures interrogatives peuvent prendre plusieurs formes. Le professeur choisira le niveau de langue qui convient à ses objectifs d'enseignement. Par exemple, la structure "tu t'appelles comment ? "peut prendre les formes suivantes : "comment t'appelles-tu ? quel est ton nom ? comment est-ce que tu t'appelles ? comment tu t'appelles ? tu t'appelles comment ? c'est quoi ton nom ? ".

Activité 6 : La carte perdue (cahier d'activités p. 43)

Après les avoir fait découper, le professeur ramasse et mélange les cartes d'identité de l'activité 5. Il en tire une au sort, lit les informations (sauf le nom et le prénom) en utilisant les structures présentées dans l'activité 5. *Exemple :* "il est + nationalité, il a + âge, il est né à + ville, il a un frère, il s'appelle + nom, etc. Qui est-ce ? ". L'élève qui trouve la bonne réponse devient meneur de jeu.

Activité 7 : Jeu du portrait (règle p. 14)

Un élève tire au sort une carte d'identité et la classe doit en trouver le propriétaire en posant des questions du type : "C'est un garçon ? ", "Il a un frère ? ", "Il a 8 ans ? ", "Il est né à... ? " etc. On ne doit pas poser de questions sur le nom et le prénom.

Activité 8 : Devant/derrière/entre

a. Deux élèves, l'un derrière l'autre et de profil, sont placés devant le tableau. Le professeur dit et fait répéter : "x est devant y, y est derrière x, x et y sont devant le tableau". Puis il demande à un autre élève d'aller se placer en obéissant à l'ordre suivant : "Va derrière x" et, ou "Va devant y". Poursuivre l'exercice avec 5 ou 6 élèves.

b. Reprendre cette activité en introduisant la préposition "entre". *Exemple :* "Antoine ! Va entre Julien et Céline."

c. La classe est divisée en 2 groupes qui désignent chacun un représentant. Celui-ci reçoit un dessin sur lequel sont rangées (de profil) des silhouettes portant les noms des élèves de son groupe. Il donne des consignes de façon à ce que les élèves de son équipe se rangent comme sur le modèle dessiné : "Bruno, va devant Alain", "Pierre, va derrière Alain", etc.
L'équipe la plus rapide gagne.

Remarque : Attention à la répétition excessive de la même structure.

Activité 9 : En voiture

La classe est divisée en groupes de 7 élèves. 6 élèves viennent s'installer dans une voiture symbolisée par 6 chaises. Chacun d'eux reçoit une carte représentant un membre de la famille (le grand-père, la grand-mère, le père, etc.). Les occupants de la voiture sont interrogés par le 7ᵉ enfant d'un autre groupe : "Où est la mère ?, Où est la fille ?, etc." Les enfants interrogés répondent : "Elle/la mère est devant/derrière, etc.". Chaque bonne réponse donne 1 point à l'équipe questionnée.

Activité 10 : En route

Reprendre la même disposition des chaises que dans l'activité 9.
Deux équipes A et B de 7 ou 8 élèves : les 6 membres de la famille (qui disposent chacun d'une carte-personnage) et 1 ou 2 meneurs de jeu. Les meneurs des deux groupes reçoivent un dessin différent indiquant la place des passagers dans la voiture.
Exemple :

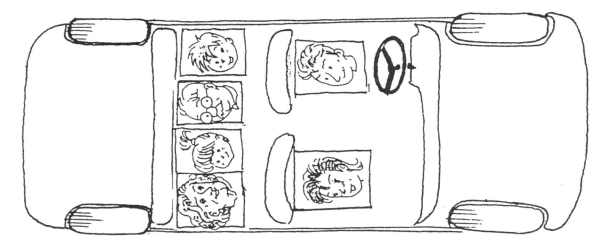

Les meneurs donnent les consignes de mise en place.
Exemple :
"La mère est devant, le fils est derrière, la fille est derrière, la fille est entre le grand-père et la grand-mère, etc.". L'équipe qui s'installe le plus rapidement a gagné.

Le zoo

I. La chanson

1. Le texte

Paroles et musique : V. Heuzé
Arrangements : M. "Jason" Richard

Refrain

Oh la la dans mon zoo,
Ce n'est pas rigolo.
Les pauvres animaux
Ont des petits bobos.

Monsieur le crocodile
A très mal au nombril,
Et monsieur l'éléphant
A très très mal aux dents.

Monsieur le chimpanzé
A très très mal au nez.
Et madame la tigresse
A très très mal aux fesses.

2. La musique

3. Remarques pour l'apprentissage

Un duo de guitares introduit la chanson, puis celles-ci marquent un temps d'arrêt. Alors débute la partie chantée. Après chaque phrasé du chanteur, le professeur fait repérer la réponse de la guitare. C'est sur cette réponse que les élèves répéteront.

Dans la version instrumentale, les élèves reprennent chaque phrasé. Ils sont guidés par un piano, ce qui est un peu différent de la version originale dans laquelle les enfants chantent avec le chanteur seulement à partir du deuxième refrain.

La cassette	la classe	
	écoute	chante
Version originale	x	
"Écoutez bien la guitare et répétez juste après le chanteur ! "	x	
Version instrumentale intégrale		x
Activité d'écoute : "Sam et Suzie"	x	
Activité d'écoute : "La visite du zoo"	x	

4. Les gestes

Oh la la dans mon zoo,	balancement de la main et du poignet à hauteur de la poitrine, la paume reste tournée vers le corps.
Ce n'est pas rigolo.	mouvement de l'index marquant la négation.
Les pauvres animaux	les bras se lèvent de chaque côté du corps et retombent mollement en signe de dépit.
Ont des petits bobos.	pouce et index légèrement écartés pour marquer la petitesse.
Monsieur le crocodile	dans le prolongement de la bouche, les 2 mains imitent une gueule qui s'ouvre et se ferme.
A très mal au nombril,	le doigt pointé sur le nombril, accompagné d'une grimace de douleur.
Monsieur l'éléphant	dans le prolongement de la bouche, le bras levé ondule imitant la trompe de l'éléphant.
A très très mal aux dents.	une main sur la joue en faisant une grimace de douleur.
Monsieur le chimpanzé	mimer un singe qui se gratte.
A très très mal au nez.	se pincer le nez avec la main.
Et madame la tigresse	les 2 mains ouvertes de chaque côté du visage, les doigts crispés imitant des griffes.
A très très mal aux fesses.	se taper sur les fesses en grimaçant de douleur.

5. Analyse

Vocabulaire

"oh la la" : interjection exprimant ici la tristesse et l'étonnement face aux animaux malades. Cette interjection, très couramment employée, peut marquer aussi la joie, la douleur, l'impatience, l'indignation, etc.

"rigolo" : (féminin : "rigolote") = mot familier, synonyme de drôle. "Rigoler" = rire, s'amuser.

"bobo" : mot du langage enfantin, synonyme de petite douleur. On dit *"avoir un p'tit bobo"*.

"Monsieur le.../Madame la..." : formule de respect et de politesse annonçant un titre ou une fonction : *"Monsieur le Président"*. Ici, utilisé de façon humoristique.

"mal" : c'est un élément de la locution verbale *"avoir mal à"*. À ne pas confondre avec "mal", adverbe (contraire de bien) dans *"il joue mal du piano"*.

"le nombril" : cicatrice du cordon ombilical au milieu du ventre.

"le chimpanzé" : race de singe.

"la tigresse" : femelle du tigre.

"les fesses" : mot féminin désignant le postérieur.

Grammaire

"très" : adverbe. Il s'emploie devant des adjectifs (très beau), des adverbes (très lentement) ou dans des locutions verbales (avoir très peur), pour former des superlatifs absolus. La répétition de "très" est une marque d'insistance.

Phonétique

Liaisons :   "Les pauvres_animaux   [lepovRəzanimo]
                  "Mal_au dos"   [malodo].

"zoo" : [zo] ou [zoo]

"éléphant" :
précédé de l'article défini " l' "   : [lelefã]
précédé de l'article indéfini "un"   : [œnelefã]

Certains mots ont une **prononciation différente** dans la chanson, et dans la langue courante. Ces différences sont signalées dans le tableau ci-dessous.

Chanson		Langue courante	
cE n'est pas	[sənepaRigolo]	c'n'est pas rigolo (ou c'est pas rigolo)	[snepaRigolo] [sepaRigolo]
pauvrEs_animaux	[povRəzanimo]	pauv's_animaux	[povzanimo]

65

pEtit	[pəti]	p'tit	[pti]
mONsieur	[məsjø]	m'sieur	[msjø]
lE crocodile	[ləKRɔKɔdil]	l'crocodile	[lKRɔKɔdil]
lE chimpanzé	[ləʃɛ̃pãze]	l'chimpanzé	[lʃɛ̃pãze]

Analyse stylistique

Le thème des animaux et du zoo est un thème chargé d'affectivité pour les enfants. La chanson a donc un style et un vocabulaire volontairement empruntés à la langue enfantine, à la fois coquins et malins mais aussi intimes et chaleureux.

II. Les activités

1. Objectifs et niveaux

Activités	Objectifs	Niveaux
1	Reconnaissance des sons [s] et [z].	1
2	Mise en opposition de [s] et [z]. Apprentissage d'une comptine.	1
3	Idem avec un autre lexique.	1
4	Contrôle de la compréhension de la chanson.	1
5	Extension du lexique des animaux du zoo. Emploi de la structure "voici un/une/le/la..."	1 1
6	Compréhension globale et repérage de noms d'animaux.	1
7	Acquisition de la structure : "nom d'animal + a mal à/au + partie du corps".	2
8	Acquisition de la structure : "j'ai/tu as mal".	2
9	Acquisition des structures : "comment ça va ? ", "ça va bien/mal/très mal".	2
10	Repérage de rimes. Création d'une suite à la chanson	2

2. Déroulement

Activité 1 : pigeon-vole (règle p. 13)

Reconnaissance des sons [s], puis [z] :
- dans la chanson ([z] : *zoo, pauvres_animaux, chimpanzé.* [s] : *ce n'est pas, monsieur, tigresse, fesses*).
- dans une liste prononcée par le professeur : *za, so, si, zan, zu, sin, zin,* etc.

Remarque : pour prendre conscience de l'opposition sourde/sonore, les élèves se placent une main sur la gorge. Pour les sonores, les cordes vocales vibrent.

Activité 2 : Comptine "Suzie l'abeille" (cassette)

Suzie l'abeille	avec les mains, imiter le battement d'ailes d'une abeille.
Fait ZZZZZZZ...	se placer une main sur la gorge pour sentir les vibrations des cordes vocales.
Sam le serpent	mouvement ondulant du bras et de la main imitant un serpent.
Fait SSSSSSS...	main sur la gorge, pas de vibration des cordes vocales.
Et moi,	se montrer du doigt.
je dis ZUT ! (prononcer ZZZZUT).	taper du pied.

Reprendre l'activité 1 avec cette comptine : chaque élève reçoit une carte sur laquelle figure soit un serpent, soit une abeille. À l'apparition du son étudié ([s] ou [z]), les enfants lèvent la carte qui convient. *Exemple :* quand on entend le mot "zoo", il faut lever la carte représentant l'abeille.

Activité 3 : Serpent ou abeille (cahier d'activités p. 46)

Le professeur présente la planche et nomme les différents éléments dessinés. Pour chaque mot, l'élève doit colorier le symbole "Suzie l'abeille" s'il entend [z] ou le symbole "Sam le serpent" s'il entend [s].

Activité 4 : Écoute et colorie (cahier d'activités p. 47 et cassette)

Le professeur fait écouter la chanson et arrête l'audition après chaque partie du corps citée. Les élèves colorient le dessin correspondant au passage entendu.
Variante : présenter les couplets dans le désordre.

Activité 5 : Qui a disparu (règle p. 14)

Ce jeu se déroule en utilisant les dessins suivants : *un lion, une girafe, un zèbre, un éléphant, un crocodile, un singe, un tigre, un chameau, un serpent, un loup, un ours, un bison, un kangourou, un perroquet,* etc.
our présenter le lexique le professeur emploie la structure : *"voici un/le/la"*.
Remarques : utiliser les articles définis et indéfinis en prenant garde à la liaison.
En fonction des intérêts et du niveau des enfants, étendre ou adapter le lexique des animaux du zoo.

Activité 6 : La visite du zoo (cahier d'activités p. 46 et cassette)

a. Écoute globale du document suivant :

Séquence 1 : " Mesdames, Messieurs, voilà le plus gros, le plus lourd, avec sa trompe, ses grandes oreilles, son costume gris. C'est... Monsieur l'éléphant. Regardez Monsieur l'éléphant ! "

Séquence 2 : "Et maintenant, il fait peur aux enfants, il mange les autres animaux, c'est le roi des animaux. C'est... Monsieur le lion. Admirez Monsieur le lion ! "

Séquence 3 : "Et avec son long cou, la plus grande dame d'Afrique en costume marron et jaune. Oui, c'est... Madame la girafe. Voilà Madame la girafe ! "

Séquence 4 : "Et avec son pyjama blanc et noir, il court, il court très vite. C'est... Monsieur le zèbre. Regardez Monsieur le zèbre ! "

Séquence 5 "Attention ! Il est dangereux, il a une grande bouche, des dents pointues et une longue queue. Il nage dans l'eau de la rivière. C'est... Monsieur le crocodile. Regardez Monsieur le crocodile ! "

Séquence 6 : "Et maintenant, il monte aux arbres, il mange des cacahuètes et il fait des grimaces. Eh oui, voilà... Monsieur le singe. Admirez Monsieur le singe ! "

b. Le professeur demandent aux élèves ce qu'ils ont compris : qui parle ? où ? de quoi ? (ambiance, mots connus).

c. Deuxième écoute : les élèves lèvent la main quand ils repèrent un nom d'animal. Puis, la classe cite les animaux présentés dans le texte (affichage au tableau des dessins correspondants).

d. Le professeur fait réécouter les 6 séquences en désordre. À la fin de chaque séquence, les élèves prennent leur cahier et inscrivent dans le carré supérieur de chaque case le numéro d'ordre d'apparition de l'animal. *Exemple :* si la première séquence que le professeur fait écouter est celle du zèbre, les enfants notent le chiffre 1 dans la case de cet animal.

Remarque : en fonction du niveau, le professeur arrêtera la bande-son avant ou après la prononciation du nom de l'animal.

Activité 7 : Devine où l'animal a mal !

a. Le professeur présente la figurine d'un animal. Il place un pansement (croix en papier) sur une partie du corps connue des enfants et annonce, par exemple : *"le tigre a mal au pied"* et fait répéter la structure. Ainsi de suite avec d'autres parties du corps et avec d'autres figurines.

b. Devinette : un élève cache derrière le tableau une figurine sur laquelle est placé un pansement. Le professeur demande *"il a mal au ventre ? "* l'élève répond oui ou non. Les autres élèves posent le même type de questions. Le premier qui trouve devient meneur de jeu.

Variante : ce jeu peut se pratiquer avec 2 équipes A et B. Un représentant de l'équipe A est caché derrière le tableau. Il colle un pansement sur une figurine. Pour marquer un point, l'équipe B doit trouver l'emplacement du pansement en posant au maximum 5 questions. Sinon, le point revient à l'équipe A. Puis un représentant de l'équipe B prend place derrière le tableau.

Remarque : pour aborder cette activité, le lexique du schéma corporel est supposé connu.

trouver l'emplacement du pansement en posant au maximum 5 questions. Sinon, le point revient à l'équipe A. Puis un représentant de l'équipe B prend place derrière le tableau.

Remarque : pour aborder cette activité, le lexique du schéma corporel est supposé connu.

Activité 8 : Le malade imaginaire

a. Le professeur se tient le ventre et dit *"j'ai mal au ventre"* et demande à un élève de l'imiter gestuellement et verbalement. Idem avec d'autres parties du corps et d'autres élèves.

b. Le professeur colle un pansement sur la main d'un élève et lui demande *"tu as mal à la main ? "*. L'élève blessé répond *"oui, j'ai mal à la main"*. Puis un enfant prend la place du professeur et un autre remplace le blessé.

c. La classe est divisée en plusieurs groupes A, B et C. Un représentant du groupe A s'assied face à la classe sur une chaise et reçoit une boîte de pansements. Le professeur montre alors au reste de l'équipe A une figurine sur laquelle il a dessiné cinq pansements correspondant à 5 parties du corps.

Chacun leur tour, les joueurs du groupe A vont dire à leur représentant *"tu as mal à + partie du corps"*. Le "malade" se colle un pansement à l'endroit indiqué. Quand tous les élèves sont passés, le "malade" annonce : *"j'ai mal à..., j'ai mal au..., etc."*. On compare la figurine de départ et le "malade". Chaque phrase correctement énoncée et correspondant à la figurine donne un point à l'équipe. Idem avec les autres groupes.

Remarque : le nombre de pansements sur la figurine doit être égal au nombre de joueurs par équipe.

Activité 9 : Comment ça va ?

a. Le professeur dessine 3 visages au tableau : un qui sourit, un deuxième qui est triste et le troisième qui pleure. En montrant chaque dessin, il dit et fait répéter à la classe : *"ça va bien"* , *"ça va mal"*, *"ça va très mal"*.

Le professeur distribue à quelques élèves une carte avec l'un des 3 visages. Il demande à chaque élève *"comment ça va ?"*. En fonction de sa carte, celui-ci doit formuler la bonne réponse.

b. Chaque élève reçoit une carte-visage. Le professeur joue le rôle du médecin. Le premier enfant se dirige vers lui et un dialogue commence :

Le médecin :	- bonjour Monsieur, asseyez-vous.
Le patient :	- bonjour Monsieur
	- comment ça va ?
	- ça va bien (si la carte = sourire)
	- au revoir Monsieur, à bientôt

ou

- comment ça va ?
- ça va (très) mal. (si la carte = pleurs)
- ah bon ! qu'est-ce qui ne va pas ?
- j'ai mal... (improvisation)

Le médecin/professeur met alors un pansement à l'endroit indiqué et l'élève retourne à sa place en mimant un blessé.

Remarque : un élève peut ensuite jouer le rôle du médecin.

Activité 10 : Le compositeur (cahier d'activités p. 48)

a. Le professeur présente les dessins suivants :
- un éléphant, un chimpanzé, une tigresse, un serpent, un crocodile, un mouton, un kangourou, un chameau, un loup.
- le nombril, les fesses, le nez, les dents, le dos, le menton, le cou.
Par un jeu de Kim, le professeur fait répéter ce lexique.

b. Sur le cahier, les élèves relient les parties du corps et les animaux dont les noms ont le même son final.

c. À partir de cet exercice, les élèves inventent une suite à la chanson. *Exemple :* Monsieur le kangourou/ a très très mal au cou, Et Monsieur le chameau/ a très très mal au dos, Et Monsieur le mouton/ a très mal au menton, etc.

Remarque : pour respecter le rythme, chaque vers doit comporter 6 syllabes.

Le fantôme

I. La chanson

1. Le texte

Paroles et musique : V. Heuzé
Arrangements : M. " Jason " Richard

Mon fantôme vient la nuit,
Le soir, après minuit.
Il sort de son placard.
Ecoutez cette histoire !
Cliquetis, cliquetis, cliquetis.   (bis)

Il va dans la cuisine,
Il voudrait une tartine.
Il ouvre les tiroirs,
Et fouille les placards.
Cliquetis, cliquetis, cliquetis.   (bis)

Dans la salle à manger,
Il allume la télé,
S'assoit sur le canapé.
Je l'entends rigoler !
Cliquetis, cliquetis, cliquetis.   (bis)

Il monte l'escalier.
Il tourne la poignée.
Il entre dans ma chambre.
J'ai très peur et je tremble !

Debout, c'est l'heure de se lever !

2. La musique

1. Mon fantôme vient la nuit, Le soir, a-près mi-nuit. Il sort de son pla-card. E-
-cou-tez cette histoire ! Cliquetis, cliquetis, cliquetis. Cliquetis, cliquetis, cliquetis.

A chaque couplet, monter d'un demi-ton.

3. Remarques pour l'apprentissage

Entre chaque couplet, le professeur fera repérer les deux phrases d'harmoniques ayant une montée d'un demi-ton. Le premier couplet débute après la quatrième phrase d'harmoniques jouées à la guitare.
Dans cette chanson, il fera remarquer les bruitages (chaînes, tiroirs, rire, pas, sonnerie, bâillement).

La cassette	la classe	
	écoute	chante
Version originale	x	
"Vous allez maintenant chanter le fantôme, écoutez bien le premier couplet ! "	x	
Couplet 1 : version originale	x	
"À vous de chanter, maintenant ! "	x	
Couplet 1 : version instrumentale		x
"Chantez toute la chanson, maintenant mais attention au moment du réveil !	x	
Version instrumentale intégrale		x
Activité d'écoute : "Poésie"	x	

4. Les gestes

Mon fantôme vient la nuit,	mouvement ondulant des bras vers le bas.
Le soir,	mimer le sommeil.
après minuit.	index et majeur superposés, sur la montre (forme des 2 aiguilles).
Il sort de son placard.	les 2 mains cachent le visage et s'ouvrent.
Écoutez cette histoire !	index pointé sur l'oreille.
Cliquetis...	taper des pieds sur le tempo.
Il va	(sur l'intermède guitare) 2 doigts marchent sur la paume de la main à plat.
dans la cuisine,	mimer l'action de couper quelque chose avec un couteau.

Il voudrait une tartine.	1 main à plat et l'autre mimant l'action de beurrer du pain sur la paume de la 1re main.
Il ouvre les tiroirs	à hauteur de table, mimer l'action d'ouvrir des tiroirs.
Et fouille les placards.	à hauteur de tête, mimer l'ouverture de portes de placard.
Dans la salle à manger,	mimer l'action de manger.
Il allume la télé,	avec l'index des 2 mains, dessiner le contour d'un téléviseur et faire le geste de tourner un bouton.
S'assoit sur le canapé.	croiser les jambes et les bras.
Je l'entends	index pointé sur l'oreille.
rigoler !	les 2 mains sur le ventre, secouer les épaules.
Il monte l'escalier.	l'index dessine l'action de monter des marches.
Il tourne la poignée.	poing fermé, mimer l'action de tourner une poignée.
Il entre	mouvement du bras en arc de cercle mimant l'ouverture d'une porte.
dans ma chambre.	mimer le sommeil.
J'ai très peur	se protèger le visage avec les bras.
et je tremble !	les mains et les bras tremblent.
Debout,	mouvement des 2 mains, paumes vers le haut, indiquant à quelqu'un de se lever.
c'est l'heure	tapoter la montre avec l'index.
de se lever !	mouvement des 2 mains, paumes vers le haut, indiquant à quelqu'un de se lever.

5. Analyse

Vocabulaire

"cliquetis" : n.m., bruits secs obtenus par des petits chocs. Ici, il rappelle le bruit des chaînes du fantôme.

"fouiller" : chercher, explorer minutieusement. Un fouillis : accumulation de choses en désordre.

"tartine" : tranche de pain recouverte de beurre, de confiture, etc...

"placard" : espace de rangement ménagé dans un mur, meuble de cuisine.

"rigoler" : mot familier. Synonyme de rire, s'amuser.

"canapé" : siège à dossier et accoudoirs pour plusieurs personnes.

Grammaire

Conjugaison

"s'asseoir" : attention à l'orthographe et aux deux formes "il s'assied" ou "il s'assoit".

Phonétique

Dans cette chanson se trouve un grand nombre de mots contenant des semi-voyelles. Attention à leur prononciation !
[w] : *soir, histoire, tiroir, s'assoit, poignée.*
[ɥi] : *nuit, minuit, cuisine.*
[j] : *fouille, escalier.*
Certains "e" dans la chanson sont prononcés pour des raisons musicales alors que dans la pratique courante ils sont muets :

Chanson		Langue courante	
"il ouvrE"	[iluvRə]	il ouvr'	[iluvR]
"fouillE"	[fujə]	fouill'	[fuj]
"jE l'entends"	[ʒəlãtã]	j'l'entends	[ʒlãtã]
"montE"	[mõtə]	mont'	[mõt]
"tournE"	[tuRnə]	tourn'	[tuRn]
"entrE"	[ãtRə]	entr'	[ãtR]
"jE tremble"	[ʒətRãbl]	j'tremble	[ʃtRãbl]

Analyse stylistique

Cette chanson évoque les émotions éprouvées par un enfant qui rêve. Les bruits attribués au fantôme ne sont autres que ceux d'une personne qui prépare le petit déjeuner dans la cuisine, qui écoute la radio et qui monte réveiller l'enfant. Au fil des couplets, la tension va croissant et culmine à la sonnerie du réveil.

II. Les activités

1. Objectifs et niveaux

Activités	Objectifs	Niveaux
1	Acquisition du son [ɥi]. Apprentissage d'une comptine.	1 1
2	Acquisition du lexique de la chanson : *la cuisine, la chambre, la salle à manger, l'escalier.*	1
3	Acquisition du lexique des parties de la maison : *la salle de bains, les toilettes, le garage, le bureau.*	1
4	Emploi du lexique des activités 3 et 4.	1
5	Acquisition des verbes d'action de la chanson : *entrer, sortir, monter, descendre* à la forme impérative (2ᵉ personne).	1
6	Utilisation des structures : il entre dans/ il sort de + pièce de la maison, il monte l'escalier.	1
7	Acquisition du lexique des meubles en rapport avec les pièces : *une table, une chaise, un canapé, un fauteuil, une télévision, un bureau, un réfrigérateur (frigo), un lit, une baignoire.*	1
8	Emploi du lexique de l'ameublement.	1-2
9	Contrôle de la compréhension du lexique et des structures de la chanson.	1

74

2. Déroulement

Activité 1 : Poésie (cahier d'activités p. 49 et cassette)

Le professeur fait écouter la comptine ci-dessous. Il demande aux élèves quel son revient le plus souvent, puis le fait repérer par un jeu de pigeon-vole (règle page 00). Il fera ensuite apprendre la comptine suivante :

Cui cui cui   *Hou hou hou*   *Et ce bruit*
Fait l'oiseau   *Fait le hibou*   *Dans la cuisine*
Après la pluie   *Dans la nuit*   *C'est mon ami Louis*

Activité 2 : La maison du fantôme

Le professeur montre des images représentant une cuisine, une salle à manger, une chambre et un escalier. Il nomme et fait répéter chacun des mots.
Il demande aux enfants de découper dans des catalogues ou des magazines des images de cuisine, de salle à manger, de chambre et d'escalier.
Le professeur lit la chanson et les élèves lèvent l'image correspondant à chaque couplet.
Variante : on peut lire les couplets dans le désordre.

Activité 3 : Les décorateurs

a. Le professeur fixe une maison en coupe au tableau (modèle page 51 du cahier d'activités). Il présente ensuite des dessins de meubles ou d'objets que les enfants viennent placer convenablement dans la maison (*exemple : un réfrigérateur, des lits, des tables, une télévision, un bureau, une baignoire, un évier, un lavabo, une voiture, des pneus, des w.c.,* etc.). Quand toute la maison est remplie et que les pièces sont définies, le professeur nomme chacune d'elles et fait répéter le lexique aux élèves : *la salle de bains, les toilettes, le garage, le bureau, la chambre, la salle à manger, la cuisine.*
b. Le professeur (puis un élève) mime une action caractérisant une pièce (*exemple :* dormir = chambre, se laver = salle de bains). Les enfants doivent nommer la pièce (*exemple :* "c'est la chambre").
Remarque : la connaissance du lexique des meubles ou des objets n'est pas nécessaire pour cette activité.

Activité 4 : Quadrillage (cahier d'activités p. 51)

a. Sur une face cachée du tableau, le professeur dessine une maison en coupe (modèle sur cahier d'activités). Dans chaque case, il fixe ou dessine des meubles ou des objets caractérisant les 9 pièces suivantes : *le garage, la cuisine, les toilettes, les escaliers (2 cases), la salle à manger, la chambre, le bureau, la salle de bains.*
Les élèves découpent les vignettes dans leur cahier.
Les élèves doivent reconstituer la maison cachée du professeur en essayant de découvrir le code correspondant à chaque pièce de la maison : "A 2, c'est la cuisine ?", "C 3, c'est la salle de bains ?", etc. Quand les élèves ont trouvé l'emplacement d'une pièce, ils placent sur leur planche la vignette dans la bonne case.
b. Les élèves jouent par deux. Ils sont séparés par un écran (livre, classeur). Chaque joueur organise une des 2 maisons en disposant une vignette par case et le jeu se déroule comme précédemment. Le premier qui reconstitue la maison de son adversaire a gagné (après vérification).
Remarque : chaque pièce trouvée donne droit à une nouvelle question.
Variante : selon le niveau de la classe, le professeur peut faire utiliser le lexique de la localisation (rez-de-chaussée, étage, gauche, droite, milieu, etc.).

Activité 5 : Bouger

a. Devant la classe, le professeur dispose un banc (ou une planche) incliné servant d'escalier et 4 cartons (sur lesquels se trouvent des dessins symbolisant chacun une pièce de la maison).
Il demande un volontaire et lui fait faire différentes actions : *entre dans/sors de la cuisine/la chambre, monte/descends l'escalier,* etc. Après le passage de plusieurs volontaires, un élève prend la place du professeur.
b. La classe est divisée en 2 groupes A et B. Un représentant A se place au milieu du matériel. À tour de rôle, les joueurs de son groupe lui font exécuter les actions de *a*. Pour chaque ordre correctement formulé et correctement exécuté, le groupe marque 1 point. Puis, c'est au tour du groupe B. L'équipe qui marque le plus de points a gagné.

Activité 6 : Le tour du propriétaire (cahier d'activités p. 53)

Nombre de joueurs : minimum 2. *Matériel :* 2 dés, une maison par groupe. Chaque enfant prépare un petit fantôme en papier qu'il place sur la case "départ" n° 1.
a. Au tableau, le professeur reproduit la maison. Il présente le jeu en déplaçant son fantôme et en utilisant des structures du type : "il sort du garage et il entre dans la cuisine", "il sort de la cuisine et il entre dans la salle à manger", "il monte l'escalier et il entre dans le salon", etc. Il fait répéter ces structures à la classe ou demande à un élève de prendre sa place.
b. *Déroulement du jeu par groupe :* le premier joueur lance les 2 dés. Il doit faire un total de 2 pour aller dans la case n° 2. Il déplace alors son fantôme en disant : "il sort du garage et il entre dans la cuisine". Puis il rejoue pour essayer de faire 3. S'il réussit, il déplace son fantôme en disant : "il sort de la cuisine et il entre dans la salle à manger". Et ainsi de suite jusqu'à la pièce n° 12. Si le total des dés ne correspond pas au numéro de la case suivante, c'est à son voisin de gauche de lancer les dés. Le premier joueur qui atteint la case n° 12 a gagné.
Remarque : pour raccourcir la durée du jeu, on utilisera les opérations mathématiques : addition, soustraction, multiplication, division pour obtenir le numéro d'une case. *Exemple :* si les dés indiquent 2 et 6, on peut aller dans la case 4 (6 moins 2), dans la case 8 (6 plus 2), dans la case 12 (2 fois 6) ou dans la case 3 (6 divisé par 2).

Activité 7 : Jeu de Kim (règle p. 14)

Pour ce jeu, le professeur utilise les images suivantes : un lit, une chaise, une table, un canapé, une télé (ou télévision), un frigo (ou réfrigérateur), un bureau, une baignoire.

Activité 8 : La commande sur catalogue (cahier d'activités p. 50)

a. *Réalisation du catalogue.* Sur son cahier, l'élève colorie en respectant les consignes données par le professeur : une table jaune, une table rouge, une table bleue, un bureau vert, un bureau orange, un bureau noir (idem avec les autres meubles). Les enfants doivent tous obtenir le même coloriage, donc le même catalogue.
b. Le professeur joue le rôle d'un client qui passe une commande par téléphone. Les élèves enregistrent sur leur planche-catalogue le meuble sélectionné par le professeur (en l'entourant ou en le marquant au crayon). *Exemple :* "Pour la cuisine, je voudrais une table jaune. Pour la chambre, je voudrais un lit orange, etc.". Dans le même temps, le professeur entoure lui aussi sur sa planche ce qu'il commande. Cela permet ensuite de comparer la demande de l'acheteur à la commande enregistrée par les vendeurs.
c. Ce jeu est ensuite repris par groupes de 4 : 3 élèves acheteurs et un élève vendeur. Les acheteurs préparent en commun un bon de commande qu'ils adressent par "téléphone" au vendeur. À la fin du jeu, le groupe compare le bon de commande et ce que le vendeur a enregistré sur sa planche-catalogue. Pour chaque article correspondant à la commande, le vendeur marque un point. Le jeu recommence en changeant de vendeur.

Variante : en fonction du niveau de la classe, on peut utiliser d'autres caractéristiques que les couleurs (petit, grand, rond, ovale, carré, rectangulaire, à une place, à deux places, etc.).

Activité 9 : Contrôle (cahier d'activités p. 54 et cassette)

a. Le professeur fait écouter la chanson en s'arrêtant à la fin de chacune des séquences suivantes :
L'élève écrit à gauche de chaque vignette le numéro de la séquence correspondant au dessin.
1. Mon fantôme vient la nuit, le soir, après minuit.
2. Il sort de son placard. Ecoutez cette histoire ! Cliquetis, cliquetis, cliquetis.
3. Il va dans la cuisine, il voudrait une tartine.
4. Il ouvre les tiroirs, et fouille les placards. Cliquetis, cliquetis, cliquetis.
5. Dans la salle à manger, il allume la télé,
6. S'assoit sur le canapé. Je l'entends rigoler ! Cliquetis, cliquetis, cliquetis.
7. Il monte l'escalier. Il tourne la poignée.
8. Il entre dans ma chambre. J'ai très peur et je tremble !
9. Debout, c'est l'heure de se lever !
Exemple :

b. Le professeur relit les séquences, dans le désordre et précédée d'une lettre. L'élève cherche la vignette correspondant à la séquence entendue et écrit la lettre de celle-ci à droite du dessin.
A. Dans la salle à manger, Il allume la télé,
B. Debout, c'est l'heure de se lever !
C. Il entre dans ma chambre. J'ai très peur et je tremble.
D. Il monte l'escalier. Il tourne la poignée.
E. Il ouvre les tiroirs, et fouille les placards. Cliquetis, cliquetis, cliquetis.
F. Il sort de son placard. Ecoutez cette histoire ! Cliquetis, cliquetis, cliquetis.
G. Il va dans la cuisine, il voudrait une tartine.
H. Mon fantôme vient la nuit, le soir, après minuit.
I. S'assoit sur le canapé. Je l'entends rigoler ! Cliquetis, cliquetis, cliquetis.
Exemple :

À la fête de Saint-Martin

I. La chanson

1. Le texte

D'après une chanson du répertoire traditionnel français
Arrangements : M. "Jason" Richard

À la fête de Saint-Martin,
J'achète un joli tambourin. } (bis)

Il joue bien du tambourin. (bis)

Refrain
Venez danser, venez danser,
Filles et garçons, tournez !
Venez danser, venez danser,
Filles et garçons, tournez !

À la fête de Sainte-Marion,
J'achète un joli carillon. } (bis)

Elle joue bien du carillon. (bis)

À la fête de Saint-Amour,
J'achète un très joli tambour. } (bis)

Il joue très bien du tambour. (bis)

À la fête de Saint-Gildas,
J'achète des jolis maracas. } (bis)

Il joue bien des maracas. (bis)

À la fête de Sainte-Juliette,
J'achète une jolie clochette. } (bis)

Elle joue bien de la clochette. (bis)

À la fête de Saint-Clément,
J'ai acheté des instruments. } (bis)

Ils jouent bien des instruments. (bis)

2. La musique

78

3. Remarques pour l'apprentissage

L'attaque du chant se fait après un temps d'arrêt marqué par les différents instruments.
Dans les couplets, les enfants répètent ce que dit le chanteur. Dans les refrains, chanteur et enfants chantent à l'unisson.

La cassette	la classe	
	écoute	chante
Version originale	x	
"Dans cette chanson vous allez remplacer les enfants. Alors, écoutez bien !"		
Introduction + couplet 1 version originale :	x	
"Vous avez bien écouté ? Alors à vous de chanter maintenant !"	x	
Introduction + couplet 1 version instrumentale :		x
"Maintenant, écoutez bien pour apprendre le refrain !"	x	
Refrain version originale :	x	
"Maintenant, à votre tour !"	x	
Refrain version instrumentale :		x
"Vous pouvez maintenant chanter toute la chanson !"	x	
Version instrumentale intégrale		x
Activité d'écoute : Formulettes n° 1 : Zon, zon, zon	x	
n° 2 : Tous les dimanches	x	
n° 3 : Au feu les pompiers	x	
n° 4 : Au clair de la lune	x	
n° 5 : Ran plan plan	x	
Activité d'écoute : Le bon et le mauvais musicien	x	

4. Les gestes

À la fête de Saint-Martin, — frappés de mains sur les syllabes /A/, /fê/, /saint/, /tin/. Sur la dernière syllabe, les mains restent jointes (mime du saint).

J'achète — glissement du pouce sur l'index mimant l'argent.

un joli tambourin. — mouvement circulaire des mains devant soi imitant la forme du tambourin.

Il joue bien — pouce levé signifiant "très bien".

du tambourin. — mouvement circulaire des mains devant soi imitant la forme du tambourin.

Venez danser, — geste de la main et de l'avant-bras indiquant à quelqu'un qu'il doit s'approcher.

venez danser, — placer les bras comme pour tenir un(e) partenaire de danse et se balancer.

Filles et garçons, — montrer du doigt les filles puis les garçons.

tournez ! — mouvement de l'index indiquant la rotation.

un joli carillon — imiter le mouvement de la baguette qui frappe les lames du carillon.

des jolis maracas — les mains au niveau des épaules imitant le geste de secouer des maracas.

une très jolie clochette — le pouce et l'index rapprochés et geste du poignet imitant l'action de faire tinter une clochette.

J'ai acheté des instruments. Ils jouent bien des instruments. — reprendre les gestes mimant les différents instruments.

5. Analyse

Vocabulaire

Tambourin [tãburɛ̃] : petit tambour plat couvert d'un côté par une peau sur laquelle on tape avec une baguette ou avec la main. On dit "jouer du tambourin" ou "battre le tambourin".

Tambour [tãbuR] : caisse cylindrique dont chaque fond est recouvert d'une peau et que l'on bat à l'aide de baguettes. Le tambour est aussi le nom donné au joueur de tambour.

Carillon [kaRijɔ̃] : réunion de cloches accordées à différents tons (le carillon de Big Ben à Londres, le carillon d'une église). Dans le langage courant, et ici dans la chanson, on utilise le mot carillon pour désigner l'instrument à lames de métal (appelé aussi "métallophone").
Remarque : ne pas confondre avec "xylophone" (instrument à lames de bois).

Maracas [maRakas] : instrument à percussion constitué d'une coque contenant des graines.

Clochette [klɔʃɛt] : petite cloche.
Mot formé à partir de cloche et du suffixe diminutif "ette".

Grammaire

Adverbes **"très"** et **"bien"**. On peut jouer sur ces éléments pour montrer ce qu'ils renforcent en précisant les nuances entre :
il joue du tambourin,
il joue bien du tambourin,
il joue très bien du tambourin.

"jouer" : attention aux différentes constructions :
*Il joue, il joue **un** air de musique, **de la** clochette, **du** tambour, **au** basket, **à la** balle, **aux** échecs.*

Conjugaison

Présent de l'indicatif : "J'achète", "Il joue". Ici, il s'agit d'un présent narratif : on raconte au présent un événement passé.

Impératif : "Venez danser" exprime une invitation, "Tournez" exprime un ordre.

Passé composé : "J'ai acheté". Il exprime le résultat des précédentes actions.

Civilisation

De nombreuses villes de France avaient coutume d'organiser une foire (fête annuelle) pour célébrer leur saint patron (protecteur du village dans la tradition catholique). Aujourd'hui, des fêtes sont encore organisées et sont l'occasion de divertissements (manèges, jeux divers, etc.).

Analyse stylistique

L'utilisation des pronoms personnels **"je"** et **"il"** et l'emploi de l'impératif mettent en évidence les rôles des différents acteurs et font donc apparaître les interprétations possibles de la chanson (cf. activités).

Chaque couplet est composé de trois parties différentes :
- "À la fête de..., J'achète un..." dans laquelle chante l'acheteur de l'instrument.
- "Il joue bien du..." dans laquelle chantent les spectateurs.
- "Venez danser..., Tournez" dans laquelle le possesseur d'un instrument invite les filles et les garçons.

II. Les activités

1. Objectifs et niveaux

Activités	Objectifs	Niveaux
1	Acquisition du lexique des instruments cités dans la chanson.	1
	Reconnaissance du timbre des instruments.	1
2	Discrimination du son [ɛ̃] dans la chanson.	1
3	Idem avec les sons [ɔ̃] et [ɑ̃] dans des comptines.	1
4	Mise en opposition de [ɛ̃], [ɔ̃] et [ɑ̃].	1
5	Recherche de critères linguistiques discriminatoires (voyelles nasales).	2
	Classement de mots contenant [ɛ̃], [ɔ̃], [ɑ̃].	2
6	Contrôle de l'apprentissage phonétique de de la chanson.	1-2
	Approfondissement de la discrimination des voyelles nasales.	1-2
7	Utilisation du lexique de la chanson dans les structures interrogatives : "est-ce que c'est un(e)... ? ", "c'est un(e)... ? "	1
8	Compréhension de "qu'est-ce qu'il/elle fait ? "	1
	Emploi de "il/elle joue du/de la + instrument".	1
9	Compréhension et emploi de la structure : "c'est lui, c'est elle".	1
10	Utilisation des adverbes *bien* et *mal* dans la structure : "il/elle joue bien/mal + du/ de la + instrument".	2
11	Mise en scène de la chanson.	1

2. Déroulement

Sensibilisation au thème

Il s'agit de reconnaître le timbre des instruments (utilisés dans la chanson) et d'en rappeler éventuellement le lexique en **langue maternelle.**

Cette phase nécessite le matériel suivant : *un tambourin, un carillon, un tambour, une clochette, des maracas.* Certains de ces instruments peuvent être fabriqués par les enfants (cahier d'activités page 56).

Le professeur présente sur une grande table l'ensemble des instruments cités dans la chanson. Il demande aux élèves, après chaque présentation d'instrument, de désigner celui qu'ils ont entendu. Les élèves le nomment en **langue maternelle.**

Activité 1 : Reconnaissance d'instruments

a. Le professeur choisit un instrument, en joue, le nomme, et fait répéter le mot. Même présentation pour les autres instruments cités dans la chanson.

b. Un élève, caché derrière un paravent, choisit un instrument et en joue : la classe doit le reconnaître et le nommer. Puis on change de meneur de jeu.

Activité 2 : Pigeon-vole (règle p. 13 et cassette)

Le professeur prononce le son [ɛ̃] et le fait répéter en chœur, puis individuellement.

Puis, il énonce une suite de sons vocaliques dans laquelle il insère le son étudié : a/o/**in**/ ou /i/**in**/u/**in**/é/è, etc. Les enfants lèvent la main chaque fois qu'ils reconnaissent le son [ɛ̃].

Il chante et/ou fait écouter la cassette. Les enfants doivent reconnaître les mots dans lesquels apparaît ce son.

Activité 3 : Formulettes 1 et 2 (cassette)

Le professeur reprend la démarche proposée dans l'activité 2 pour la discrimination des sons [ɔ̃] et [ɑ̃] mais en utilisant les comptines suivantes :

Zon zon zon zon zon
Allez en prison
En prison
Petits bonshommes
Qui volez toutes mes pommes
Zon zon zon zon zon
Allez en prison

(comptine du folklore français)

Tous les dimanches
Sous les branches
La poule rousse
Et le paon blanc
Jouent aux boules
Sur un banc
Boule rouge
Boule blanche
C'est comme ça
Tous les dimanches

(Bray-Clausard, *Comptines, apprendre à prononcer,* OCDL). Droits réservés.

Activité 4 : Formulettes 3, 4 et 5 (cahier d'activités p. 57 et cassette)

a. Le professeur choisit une voyelle nasale et la fait répéter, puis les élèves doivent la reconnaître dans la suite : *an, on, in, on, in, an, in, on, an,* etc.

Idem dans la suite de mots : *temps, bâton, tempête, bon, butin, vin, plafond, fond, dindonneau, daim, pendu, pan, repeindre, pain, épouvantable, pont, raconter, vent,* etc.

Idem dans les comptines suivantes :

Au feu, les pompiers,
La maison qui brûle,
Pin-pon, pin-pon.
Au feu les pompiers,
La maison brûlée,
Pin-pon, pin-pon,

Au clair de la lune,
Trois petits lapins
Qui mangeaient des prunes,
Comme trois coquins,
La pipe à la bouche,
Le verre à la main,
En disant "Mesdames,
Versez-nous du vin,
Jusqu"à demain matin."

Ran plan plan,
J'ai perdu mes gants,
À la fontaine, à la fontaine.
Ran plan plan,
J'ai perdu mes gants,
À la fontaine, habillé de
blanc.

b. Cahier d'activités.

Le professeur nomme les objets dessinés dans le premier cadre, puis les fait répéter par les élèves qui colorient tous les dessins dont le nom contient le son [ɔ̃].

Idem pour le cadre 2 (son [ɛ̃]) et le cadre 3 (son [ɑ̃]).

Activité 5 : Classement

a. La classe est divisée en groupes de 4 ou 5 élèves.

Chaque groupe reçoit un ensemble de cartes sur lesquelles est dessiné un objet dont le nom (déjà connu) contient une ou plusieurs voyelles nasales.

Exemples de dessins :
- le carillon, le bonbon, le violon, le ballon, le poisson, onze ;
- une orange, une dent, la maman, le tambourin, des instruments ;
- le raisin, la main, du vin, vingt, du pain, le tambourin, des instruments, le vent.

Le professeur demande aux élèves de classer ces dessins.

Après un temps de recherche, une synthèse collective permet à chaque groupe de présenter son classement et les critères retenus.

Le professeur utilisera les découvertes d'un groupe pour amener les enfants à classer les dessins selon la voyelle nasale contenue dans le nom de l'objet.

b. Le professeur présente 3 images correspondant à 3 mots-clés contenant une voyelle nasale : pour [ɛ̃] Saint-Martin, pour [ɔ̃] le carillon et pour [ɑ̃] le tambour. Il colle une image sur chaque boîte et fait répéter les mots-clés.

Il divise la classe en groupes qui reçoivent chacun un certain nombre de dessins. À tour de rôle, un élève de chaque groupe vient devant une boîte, montre son dessin, nomme l'objet dessiné, et le dépose dans la boîte. Si le dessin est dans la bonne boîte, le groupe marque 1 point. Dans le cas contraire, le professeur redonne l'image à l'élève et son groupe ne marque pas de point. L'équipe qui s'est débarrassée la première de ses images a gagné.

Remarques : les mots contenant deux voyelles nasales différentes iront dans deux boîtes. Prévoir ces dessins en double.

On n'utilisera pas l'article "un" pour éviter des confusions phonétiques.

Activité 6 : Chanson à la carte

Chaque élève reçoit une carte représentant le mot-clé ("carillon" pour [ɔ̃], "tambour" pour [ɑ̃], "Saint-Martin" pour [ɛ̃]) et répète la voyelle nasale correspondante.

Le professeur chante ou lit la chanson.

Lorsque l'enfant entend un mot contenant la voyelle nasale correspondant au mot-clé de sa carte, il la lève.

Exemple : quand ils entendent le mot "Clément", les élèves qui ont la carte sur laquelle est représenté un tambour doivent la montrer.

Activité 7 : "C'est un carillon ?" (cahier d'activités p. 55)

a. Le professeur tire une carte sur laquelle est dessiné un objet ou un personnage cité dans la chanson.
Les élèves l'interrogent : "Est-ce que c'est un(e)...?." ou "C'est un(e)... ? ". L'élève qui a trouvé le nom de l'objet prend la place du professeur.
Liste des dessins nécessaires : un tambourin, un carillon, un tambour, un garçon, une fille, des maracas, une clochette, des instruments, une fête.
Remarque : en fonction du niveau de la classe, on peut utiliser d'autres mots (par exemple, d'autres instruments de musique).
b. Les dessins sont disposés sur la table. Un élève A sort pendant qu'un élève B fait disparaître un dessin de l'ensemble. L'élève A revient et doit retrouver ce qui manque.
c. Cahier d'activités.
Le professeur fait écouter le premier couplet de la chanson (version originale) et s'arrête après "j'achète un joli tambourin" (voix d'enfants). Les élèves relient le couplet 1 au dessin du tambourin.
Pour la correction, le professeur fait écouter la suite (timbre de l'instrument).
Même démarche pour les autres couplets, mais présentés dans le désordre.

Activité 8 : Mime (dessins p. 56)

a. Le professeur distribue des cartes représentant les instruments utilisés dans la chanson.
Un élève mime l'action de jouer d'un instrument.
Le professeur demande "Qu'est-ce qu'il/elle fait ? ".
Les élèves lèvent la carte ou le dessin correspondant à l'instrument.
Le professeur formule ainsi la réponse : "Il joue du/de la/des..." et fait répéter cette structure.
b. On reprend le jeu sans les cartes. Il s'agit alors de répondre à la question "Qu'est-ce qu'il fait ? " en utilisant la structure "Il/elle joue du/de la/des...".
L'élève qui donne la bonne réponse devient mime à son tour.
Remarque : penser à solliciter des filles de façon à obtenir l'emploi du pronom "elle".

Activité 9 : Le chef d'orchestre

Un élève volontaire sort de la classe.
Pendant ce temps, le groupe choisit un chef d'orchestre. Celui-ci mime successivement différents joueurs d'instruments en essayant de ne pas se faire remarquer de l'observateur et le reste de la classe l'imite en évitant de le regarder de façon trop évidente.
L'élève volontaire rentre et observe ses camarades en train de mimer. Il doit désigner le chef d'orchestre en utilisant la structure "C'est lui/c'est elle".
Puis, le chef d'orchestre reconnu sort de la classe et un autre meneur de jeu est désigné.

Activité 10 : Le bon et le mauvais musicien (cahier d'activités p. 58 et cassette)

a. Le professeur fait écouter les 4 premières séquences musicales enregistrées dont certaines sont bien interprétées, d'autres mal.
Il demande aux élèves ce qu'ils pensent de l'interprétation. Il apporte la structure "Il joue bien ! " ou "Il joue mal ! " et fait répéter ces structures.

b. Puis les élèves écoutent la séquence suivante (n° 1, morceau de guitare bien joué). Ils écrivent le numéro 1 dans la case représentant une guitare et des notes bien dessinées. Pour la séquence n° 2, ils notent 2 dans la case représentant un piano et des notes "tremblantes".
Séquences suivantes : n° 3 carillon mal joué, n° 4 flûte bien jouée, n° 5 saxophone mal joué, n° 6 saxophone bien joué, n° 7 carillon bien joué, n° 8 guitare mal jouée.
Lors de la correction de l'exercice, après réécoute, les élèves utiliseront la structure "Il/elle joue bien du/de la + instrument".

Activité 11 : Mise en scène

Lorsque la chanson est mémorisée, le professeur divise la classe en 3 groupes : les acheteurs d'instruments qui chantent les phrasés 1 et 2 relatifs à leur instrument ("À la fête de Saint-Martin, j'achète un joli tambourin"), les danseurs qui chantent le phrasé 3 ("il joue bien du tambourin") et l'ensemble des musiciens qui chantent le refrain invitant à la danse ("Venez danser", etc.). Même démarche pour chaque couplet.
Sur une table sont disposés les différents instruments. Derrière cette table est assis un vendeur. Les autres enfants sont debout. Chaque groupe pourra suivre les indications scéniques suivantes :

À la fête de...	le chanteur se dirige vers le vendeur.
J'achète un...	il prend l'instrument et mime l'action d'acheter en tapant dans la main du vendeur.
Il joue bien du tambourin.	les autres enfants le montrent du doigt en chantant et le musicien commence à jouer
Venez danser,	toute la classe marque avec la main l'invitation à la danse.
venez danser,	se mettre par couple (ou placer les mains comme si on tenait une cavalière) et faire quelques pas de danse.
Filles et garçons, tournez !	tourner sur soi-même.

Les voyelles

I. La chanson

1. Le texte

Paroles et musique : V. Heuzé
Arrangements : M. "Jason" Richard

Moi, je suis le A,
Le premier soldat,
Et je marche au pas,
A tout petits pas.

Vivent les voyelles, A, E, I, O, U.

Boucles de cheveux,
Muets ou nombreux,
Nous sommes les E
Du bleu de tes yeux.

Vivent les voyelles, A, E, I, O, U.

Petit trait joli,
Et un point gentil,
Moi, je suis le I
Du grand spaghetti.

Vivent les voyelles, A, E, I, O, U.

Petit rond très beau,
Une queue en haut,
Moi, je suis le O
De ta belle moto.

Vivent les voyelles, A, E, I, O, U.

Un pont à l'envers,
Où est ta rivière ?
Petit U perdu,
Dis-moi, qui es-tu ?

2. La musique

88

3. Remarques pour l'apprentissage

Le professeur fera repérer la descente mélodique jouée à la guitare et qui précède chaque couplet. C'est sur la dernière note de cette descente mélodique que se fera l'attaque du chant.

La cassette	la classe	
	écoute	chante
Version originale	x	
"À vous d'apprendre les voyelles maintenant, écoutez bien, voilà le A ! "	x	
Introduction + couplet 1 : version originale	x	
"Allez, à vous de chanter ! "	x	
Introduction + couplet 1 : version instrumentale		x
"Refrain : version originale.	x	
"À vous de répéter, maintenant ! "	x	
Refrain : version instrumentale		x
"Vous pouvez chanter toute la chanson des voyelles ! "	x	
Version instrumentale intégrale		x

4. Les gestes

Moi,	se montrer de l'index.
je suis le A,	les doigts en forme de A (capitale d'imprimerie).
Le premier soldat,	geste de salut militaire.
Et je marche au pas,	marcher sur place au pas.
A tout petits pas.	l'index et le majeur d'une main avancent dans la paume de l'autre main.
Vivent les voyelles,	lancer les bras vers le ciel, les doigts en forme de V.
A, E, I, O, U.	frapper des mains en rythme.
Boucles de cheveux,	tourner une mèche de ses cheveux.

Muets	doigts sur la bouche en signe de silence.
ou nombreux,	avec les 2 mains, montrer l'ensemble des enfants.
Nous sommes les E	enchaîner dans l'espace une succession de boucles.
Du bleu de tes yeux.	montrer les yeux avec l'index.
Petit trait joli,	dessiner dans l'espace un trait vertical.
Et un point gentil,	dessiner un petit rond.
Moi,	se montrer de l'index.
Je suis le I	dessiner rapidement un I dans l'espace.
Du grand spaghetti.	faire monter l'index, pointé vers le haut, de la table à la bouche.
Petit rond très beau,	dessiner un rond.
Une queue en haut,	enchaîner une boucle au sommet du O.
Moi,	se montrer de l'index.
Je suis le O	former un rond avec le pouce et l'index.
De ta belle moto.	bras fléchis, mouvement des bras imitant l'action de conduire une moto.
Un pont à l'envers,	placer sur la paume d'une main le pouce et l'index de l'autre main en forme de pont, puis retourner ce pont pour obtenir la forme d'un U.
Où est ta rivière ?	mouvement ondulant de la main imitant la surface de l'eau.
Petit U perdu,	avec le pouce et l'index former un U.
Dis-moi, qui es-tu ?	(garder le U formé) et avec l'autre main le montrer du doigt en le fixant des yeux.

5. Analyse

Vocabulaire

"une voyelle" : Il ne s'agit pas ici des sons vocaliques du français (au nombre de 10 en français standard) mais des lettres représentant quelques uns de ces sons (au nombre de 6 ; il manque ici le "y"). Relire pour le plaisir "Le Bourgeois gentilhomme" (Acte II, scène 4) de Molière !

"marcher au pas" : marcher à la manière d'un soldat. Marcher à tout petits pas (ici, "tout" = "très").

"vive" : acclamation (ou exclamation) envers quelqu'un ou quelque chose que l'on souhaite voir vivre longtemps *(Vive le roi !, Vive/vivent les vacances !)*. C'est aussi une forme de félicitation *(Vive l'Olympique de Marseille !)*.

"une boucle de cheveux" : mèche de cheveux qui s'enroule.

"muet" : un "e" muet est un "e" qui ne se prononce pas : une rose [ynroz].

"petit trait joli", **"point gentil"**, **"petit rond très beau"** : la place des adjectifs "gentil", "joli" et "beau" est inhabituelle ici. En français standard, on dit *"un joli petit trait" "un gentil point"* et *"un très beau petit rond"*. La place qu'ils occupent dans la chanson renforce leur sens tout en permettant la rime.

"la queue" : il s'agit ici de la boucle qui termine le "o" en écriture cursive.

Grammaire

"moi, je" : cette forme, fréquemment utilisée à l'oral, permet de renforcer le pronom personnel.

"un œil/des yeux" : [œ̃nœj]/[dezjø]

"gentil/gentille" : [ʒɑ̃ti]/[ʒɑ̃tij]

Il faut remarquer, dans cette chanson, la présence voulue de nombreux hiatus (rencontre de deux voyelles dans un mot ou entre deux mots). Il est important de veiller à leur bonne articulation : "je suis le/A", "A/E/I/O/U", "les/E", "et/un point", "le/I", "queue/en/haut", "le/O", "pont/à l'envers", "petit/u".
Remarque : dans le passage "muets/ou nombreux", le hiatus est volontaire ; on fait habituellement la liaison : "muets_ou nombreux".

Analyse stylistique

Cette chanson décrit les voyelles A, E, I, O, U. Elle présente leur forme (E = boucle, U = pont à l'envers), offre des comparaisons imagées (A = le premier soldat), propose des mots-clés contenant la voyelle (moto pour la voyelle O, spaghetti pour I, cheveux pour E, etc.). Chacune des voyelles se présente à tour de rôle ("Moi, je suis le A, nous sommes les E ,etc."), sauf la voyelle U, à laquelle s'adresse le chanteur.
La description des voyelles permet l'introduction de nombreux adjectifs (petit, gentil, joli, etc.).

I. Les activités

1. Objectifs et niveaux

Activités	Objectifs	Niveaux
1	Repérage des sons [a], [ø], [i], [o], [y] dans la chanson et dans d'autres mots.	1
2	Classement de mots en fonction des sons vocaliques repérés.	1
3	idem	1
4	Association de mots contenant le même son vocalique.	1
5	Articulation d'une suite de sons vocaliques.	1
6	Acquisition des substantifs de la chanson.	
7	Contrôle de l'acquisition du lexique.	1
8	Acquisition de la structure : "moi, je suis + grand/petit/gentil/méchant/premier/dernier" et de la structure interrogative : "tu es + adj ? ".	1 1
9	Utilisation de la structure : "dis-moi qui es-tu ? " et "moi, je suis + adjectif ".	1
10	Utilisation des structures interrogatives : "c'est un + déterminant ? ", "il est + adjectif ? " et de la structure : "c'est le + adjectif + déterminant".	1

2. Déroulement

Activité 1 : Pigeon-vole (règle p. 13)

Le professeur propose un son. Il lit le couplet contenant ce son et les élèves lèvent la main chaque fois qu'ils l'entendent. Conduire cette démarche avec les sons [a], [ø], [o], [i] et [y].
Idem avec la liste de mots suivants : *chat, bar, fard, marre, babar, canard, roseau, rot, sot, pot, loto, creux, deux, ceux, nœud, pleut, riz, ville, bikini, pipi, mille, rue, glu, sucre, tulle, ruse.*

Activité 2 : Boîte à sons

Le professeur fabrique 5 boîtes comportant une fente sur le couvercle. Elles peuvent s'ouvrir par le fond.

Il présente 5 images correspondant à 5 mots-clés qu'il fait répéter par les élèves : pour le son [a] un chat, pour [ø] les cheveux, pour [i] le lit, pour [o] la moto et pour [y] la lune. Il colle une image sur chaque boîte.

Chaque enfant reçoit deux jetons. Le professeur appelle un enfant et dit un mot comprenant un son correspondant à un mot-clé. L'enfant dépose son jeton dans la boîte du son correspondant au mot. *Exemple :* pour "gros", l'enfant dépose son jeton dans la boîte du mot-clé "moto".

Si le jeton est dans la bonne boîte, le professeur ouvre le carton et lui redonne. Si l'élève se trompe de boîte, le jeton reste dans la boîte et le professeur propose le même mot à un autre élève.

Au bout d'un moment, un élève peut ainsi récupérer plusieurs jetons contenus dans un carton (suite aux erreurs précédentes). À la fin de la partie, l'élève qui a le plus de jetons a gagné.

Exemples de mots : *frite, mur, soldat, les yeux, rue, photo, moto, rare, cru, queue, ici, gros, mot, rat, gras, auto, fini, feu, midi, nu, tu, gris, coco, bleu, signe, jeu, heureux, mat, bras, plus, gravats, patatras, zorro, peureux, tumulte,* etc.

Remarque : ce jeu peut se pratiquer en groupes et, selon le niveau, avec d'autres sons.

Activité 3 : Boîte à sons n°2 (cahier d'activités p. 62)

Le professeur prononce des mots (choisis dans les activités ci-dessus) en les précédant d'un chiffre. Les élèves, dans leur cahier écrivent le numéro sous le mot-clé correspondant.
Exemple : le professeur dit : "1, gris", l'élève écrit le numéro 1 sous le dessin représentant le lit. Les mots ne contenant aucun des sons proposés seront indiqués sous la case contenant le signe " ≠ ".
Exemples : *maison, banc, main,* etc.

Activité 4 : Les voyelles et les consonnes (cahier d'activités p. 63)

Le professeur fait observer les 17 cartes du cahier et nomme les objets dessinés en faisant repérer le son vocalique contenu dans chaque mot. La dernière carte est celle des consonnes. Chaque élève découpe ses cartes.
Nombre de joueurs : 2. *Matériel :* 2 × 16 cartes-voyelles + 1 seule carte-consonnes.
On distribue les 33 cartes face cachée. Les joueurs cherchent et posent sur la table des paires de cartes-mots contenant le même son vocalique. Par exemple, un élève pose les cartes "bras" et "chat" et dit : "j'entends [a] dans "chat" et dans "bras". Quand ils ne peuvent plus écarter de paires, un des joueurs tire au hasard une carte dans le jeu de son adversaire. Avec celle-ci, il tente de composer une nouvelle paire. C'est ensuite à l'autre joueur de tirer une carte.
Quand toutes les paires de cartes-voyelles sont écartées, un joueur reste avec la carte-consonne. Il a perdu la partie.

Activité 5 : Le téléphone

Les enfants sont placés sur deux files. Le professeur glisse à l'oreille du premier élève de chaque file une suite de 3 voyelles. Exemple : "o, u, a". L'élève doit faire passer le message à voix basse à son voisin, qui le transmet à son tour. Et ainsi de suite jusqu'au dernier de la file qui prononce à haute voix ce qu'il a entendu. La première équipe qui donne le message correct gagne un point. On recommence en changeant l'ordre des élèves dans la file et le message à transmettre.

Remarques : en cas d'erreur, il peut être intéressant de chercher à quel endroit de la file le message a été transformé.
Pour que le message prononcé à voix basse ne soit pas entendu par les autres, le professeur peut passer la chanson en fond sonore.

Activité 6 : Mime (cahier d'activités p. 61)

a. Le professeur présente des images représentant certains substantifs cités dans la chanson : *le soldat, les cheveux, les yeux, le spaghetti, la moto, le pont, la rivière, le point, le trait, la queue.* Il dit chacun de ces mots, les mime, et les fait répéter à la classe.
Chaque élève reçoit ensuite une image et dit à haute voix le mot qu'elle représente. Le professeur dit ces mots dans le désordre. Les enfants montrent leur image lorsqu'ils entendent le mot correspondant.
b. Le professeur appelle un élève et lui montre discrètement un dessin. L'élève mime le dessin devant la classe qui doit retrouver le mot. Celui qui donne la bonne réponse vient exécuter un nouveau mime.
Remarque : on peut diviser la classe en groupes.

Activité 7 : Quadrillage (cahier d'activités p. 61)

a. Le professeur dessine au tableau un quadrillage semblable à celui du cahier d'activités. Il fixe dans certaines cases des images utilisées dans l'activité précédente. En exemple, il présente la structure : "A 2, la moto" et il enlève ce dessin du quadrillage. Il demande ensuite à la classe de localiser les autres images en utilisant la structure : voyelle + chiffre + substantif. À chaque localisation correctement formulée, il enlève le dessin correspondant.
b. Même démarche mais en plaçant la grille sur une face cachée du tableau. La classe doit alors deviner la position de chaque dessin.
c. Les élèves se groupent par deux. Chacun des deux joueurs découpe dans son cahier les 10 vignettes et les place secrètement sur le quadrillage. Puis il interroge son voisin afin de retrouver les différents éléments. À chaque localisation correctement formulée, l'élève demandeur reçoit la vignette de son adversaire. Le premier à avoir "vidé" le quadrillage de l'autre à gagné.

Activité 8 : Qui est-ce ? (cahier d'activités p. 60)

Le professeur décrit les images du cahier. *Exemple :* "le n° 8, c'est un rat, il est méchant", "le n° 12, c'est un tigre, il est grand". Il fait répéter par la classe les structures correspondant à chaque image. Il choisit mentalement une image et les élèves tentent de deviner en posant des questions. *Exemple :* "c'est un chat/rat/tigre/canard ?", "il est grand/petit/gentil/méchant ?", "c'est le numéro... ?". Le premier élève qui a trouvé prend la place du professeur.

Activité 9 : Moi je suis...

a. Le professeur fixe au tableau des cartes avec bulles représentant par exemple un garçon, une fille, une vache et un rat.
Il présente des cartes symbolisant les adjectifs suivants :
petit, grand, méchant, gentil.
b. Il place une carte-symbole dans la bulle d'un personnage (*exemple :* petit avec rat) et présente la structure : "moi, je suis un rat, je suis petit". Idem avec les autres adjectifs.
c. Le professeur fait de même avec les noms et les adjectifs féminins. *Exemple :* "moi, je suis une fille je suis gentille/méchante/grande/petite".
d. Un élève choisit discrètement une carte-personnage et une carte-symbole. Le professeur tente de deviner son identité : "tu es un rat/une vache/une fille/un garçon ?", "tu es gentil (le)/grand (e)/petit(e)/méchant(e) ?". L'élève doit répondre par "non" ou par "oui, moi je suis + article + substantif", "oui, moi je suis + adjectif".
e. Même exercice mais c'est la classe qui pose les questions.

Activité 10 : Dis-moi, qui es-tu ? (planche ci-dessous)

Matériel : les images de la planche en deux exemplaires. *But du jeu :* retrouver son double.
Déroulement : les élèves reçoivent chacun une carte, la regardent et la cachent. Puis, ils se déplacent dans la classe et interrogent les enfants qu'ils croisent : "dis-moi, qui es-tu ?". L'élève interrogé répond "moi, je suis + adjectif correspondant à sa carte". Les enfants qui ont la même carte se regroupent. Le premier groupe constitué a gagné.

3. Planche

Aubin Imprimeur

LIGUGÉ, POITIERS

Achevé d'imprimer en août 1997
N° d'impression L 54461
Dépôt légal août 1997
Imprimé en France